D1407799

Mon premier dictionnaire visuel

QUÉBEC
AGENDA
200, avenue Lambert
Beauceville, Qué.
G0M 1A0

Dépôt légal : Bibliothèque nationale du Québec
4e trimestre 1986

ISBN 2-8929-400-1

Imprimé au Canada

QA 331

PRÉSENTATION

Ce dictionnaire tout à fait nouveau et original dans sa conception se présente comme un album d'images.

L'enfant pourra l'exploiter d'abord dans un cadre récréatif et de loisir en laissant libre cours à son imagination au fur et à mesure de ses découvertes.

Mon premier dictionnaire visuel c'est une collection d'images auxquelles sont associés les mots servant à les nommer. C'est un outil d'initiation au langage et d'initiation à la lecture. C'est aussi une façon d'appréhender l'orthographe et l'écriture dans les deux formes courantes : imprimées et attachées.

Mon premier dictionnaire visuel c'est une excellente occasion d'initier l'enfant à l'ordonnance alphabétique des mots et leur classification pour en faciliter le repérage.

L'ouvrage comprend sept cent quarante-deux illustrations des objets et mots les plus usuels. L'univers de référence donne priorité aux réalités concrètes qui intéressent l'enfant et lui sont accessibles.

Mon premier dictionnaire visuel c'est le prolongement d'un environnement visuel dans lequel l'enfant peut référer et y puiser au gré de ses intérêts et besoins.

Pierre Coulombe
Consultant en médias
d'enseignement/apprentissage

abat-jour

abat-jour

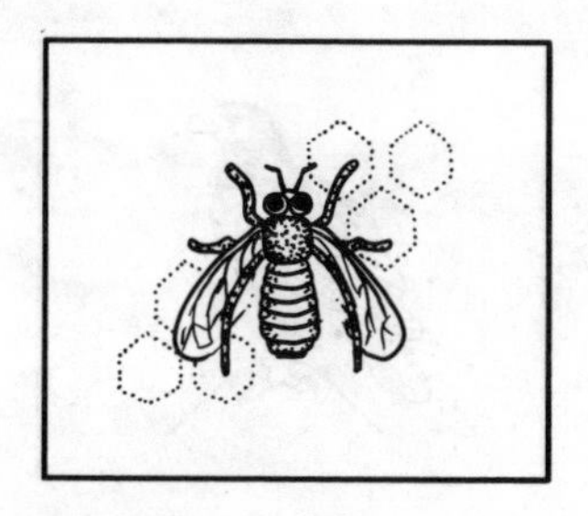

abeille

abeille

aboiement

aboiement

abreuvoir

abreuvoir

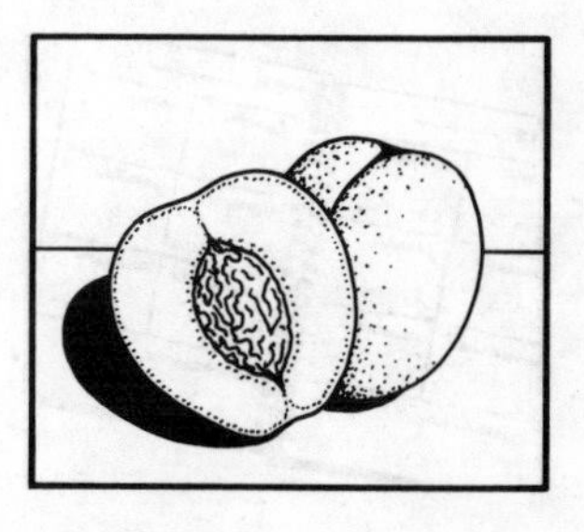

abricot

abricot

accordéon
accordéon

agneau
agneau

affiche
affiche

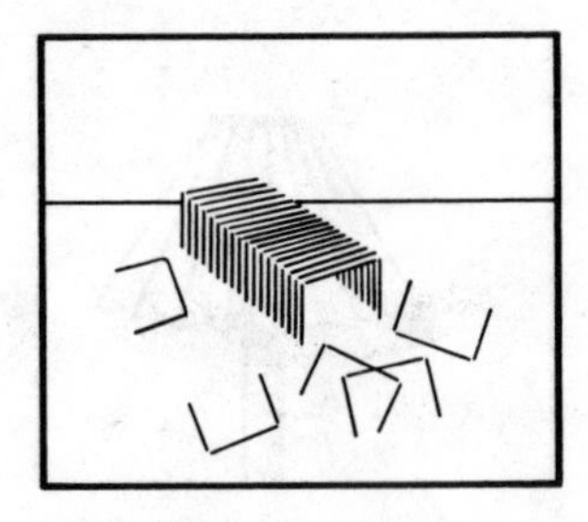

agrafe
agrafe

agenda
agenda

aigle
aigle

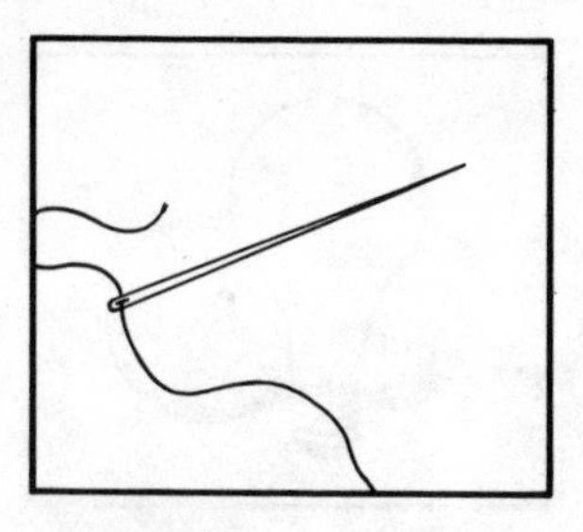

aiguille
aiguille

album
album

ail
ail

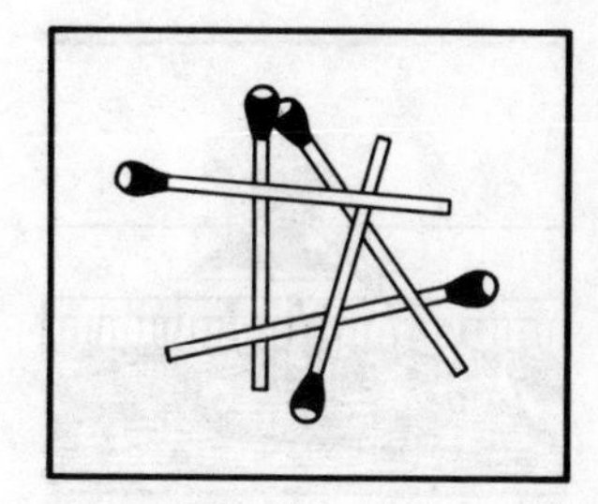

allumette
allumette

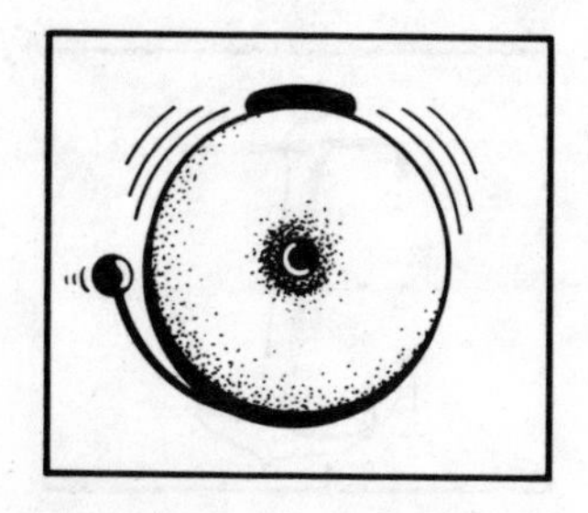

alarme
alarme

alouette
alouette

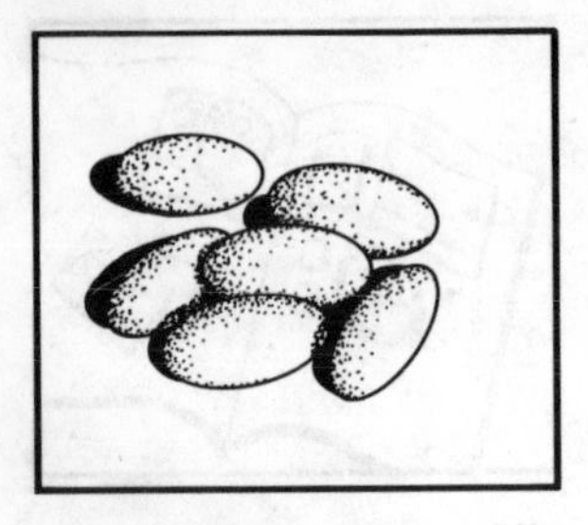

amande

amande

ampoule

ampoule

amarre

amarre

ananas

ananas

ambulance

ambulance

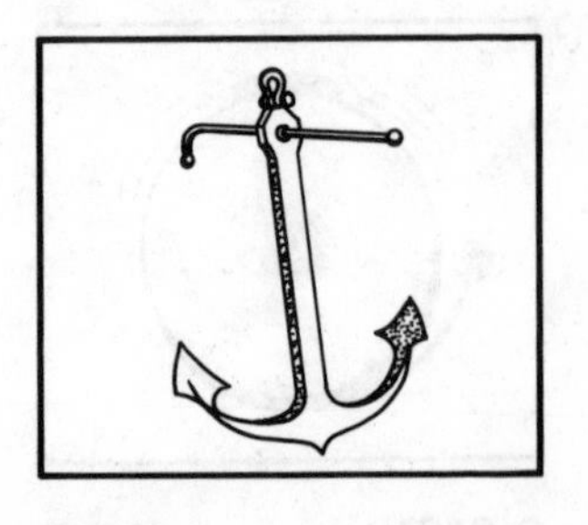

ancre

ancre

âne
âne

anneau
anneau

ange
ange

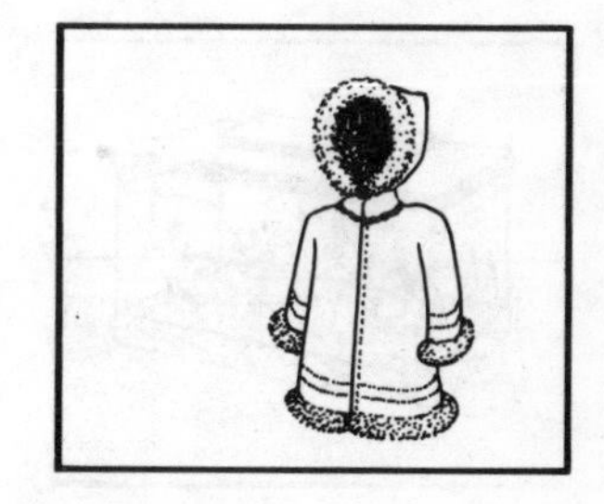

anorak
anorak

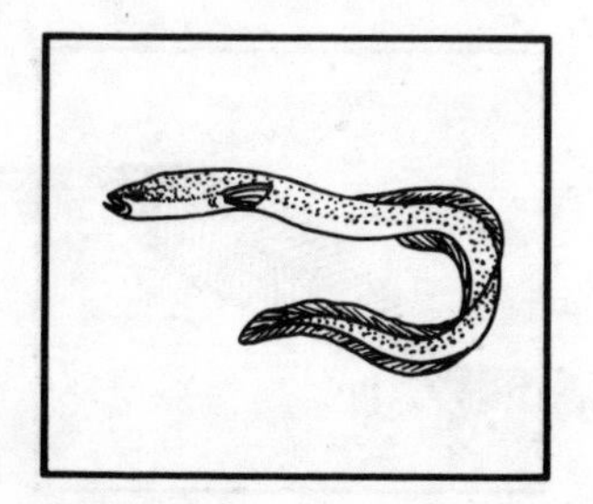

anguille
anguille

anse
anse

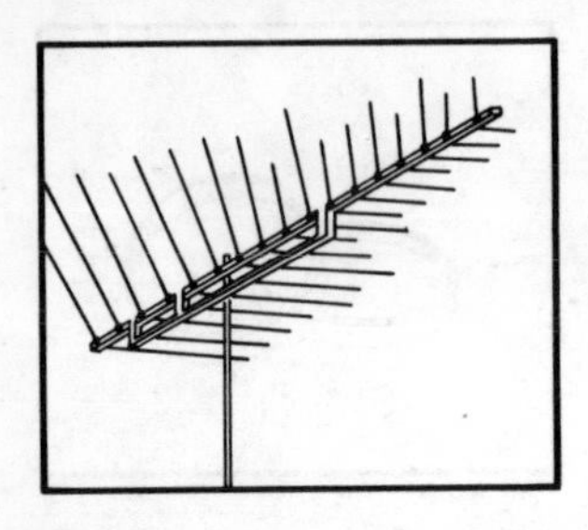

antenne

antenne

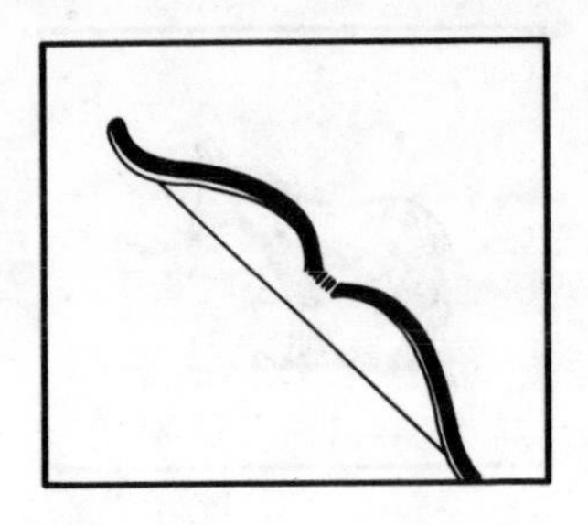

arc

arc

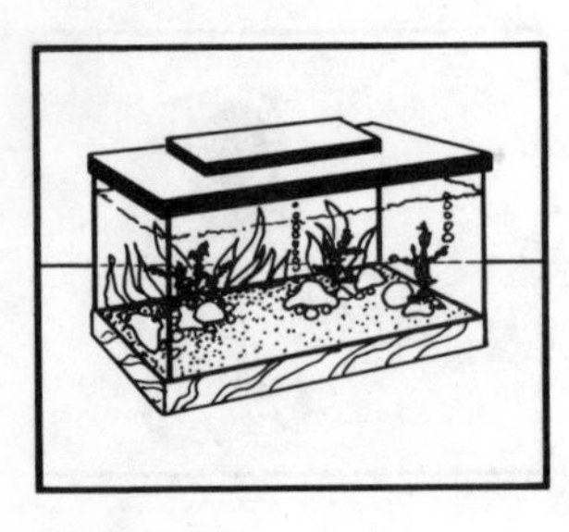

aquarium

aquarium

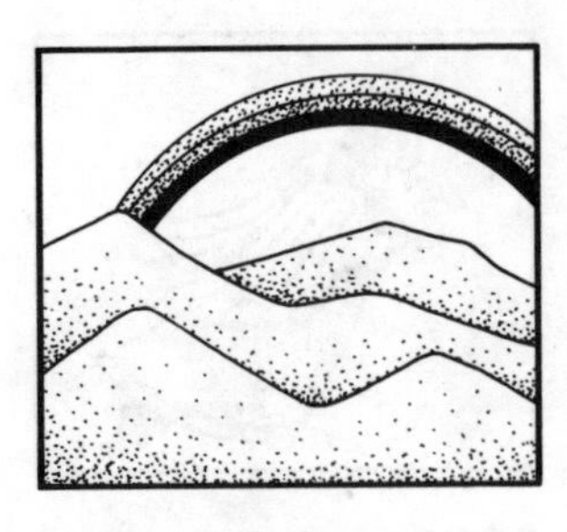

arc-en-ciel

arc-en-ciel

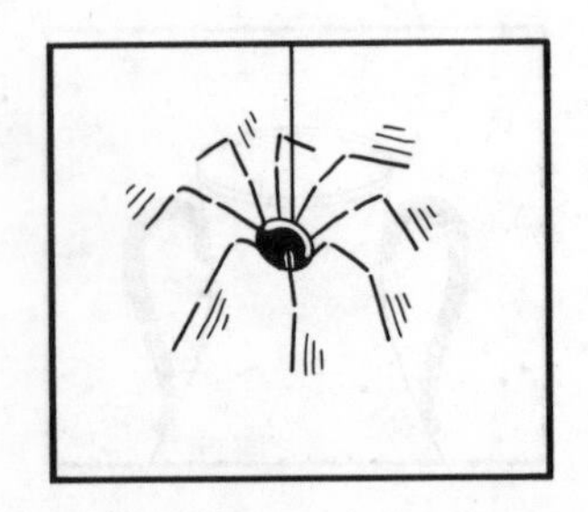

araignée

araignée

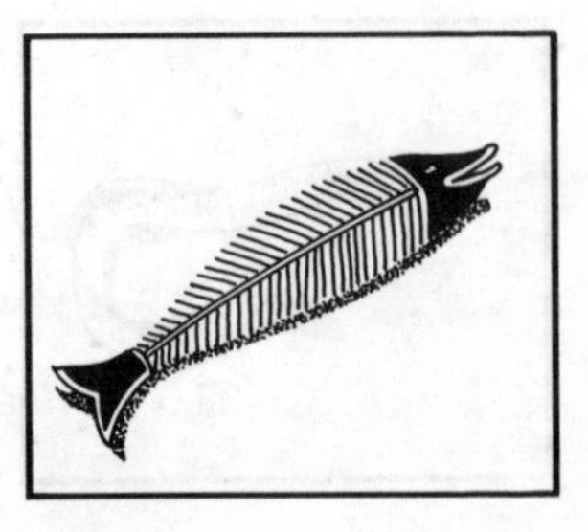

arête

arête

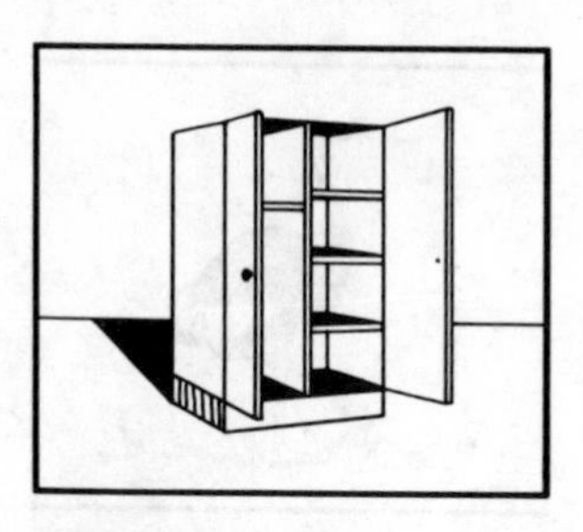

armoire

armoire

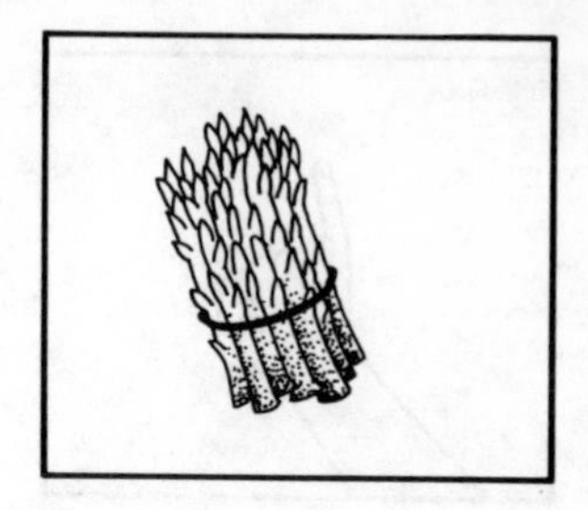

asperge

asperge

arrosoir

arrosoir

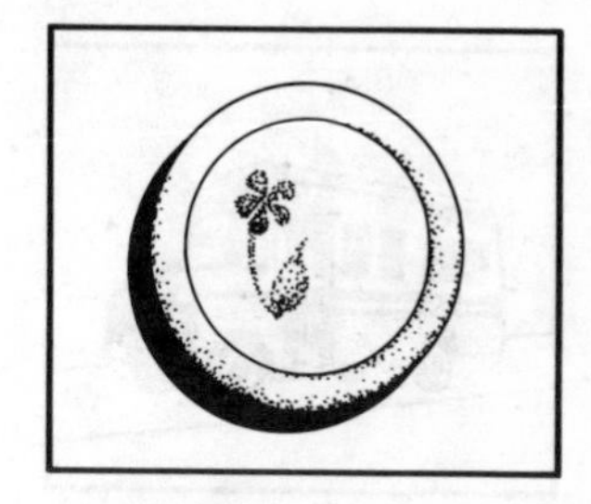

assiette

assiette

artichaut

artichaut

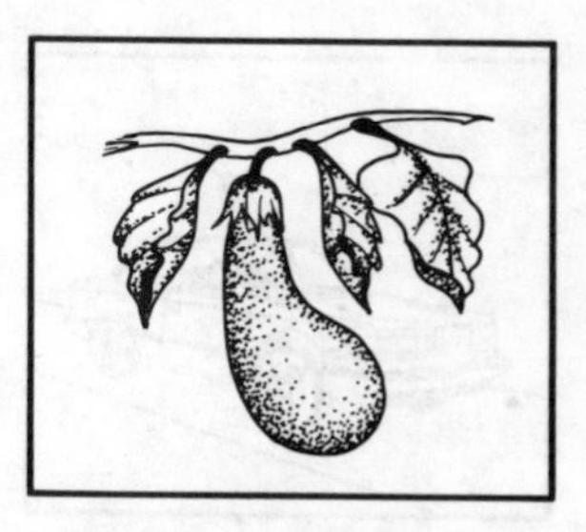

aubergine

aubergine

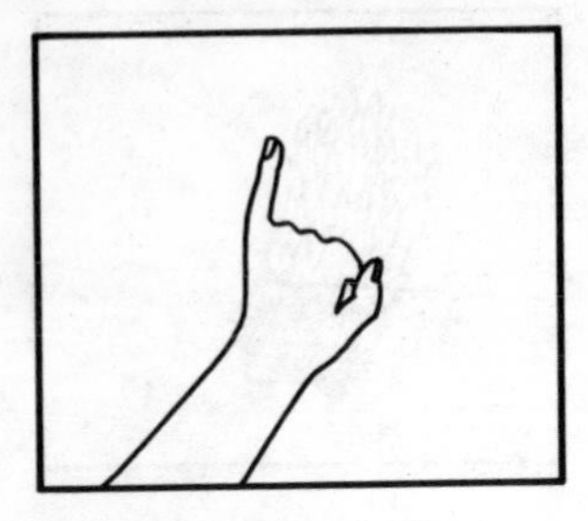

auriculaire

auriculaire

autobus

autobus

automobile

automobile

autruche

autruche

avion

avion

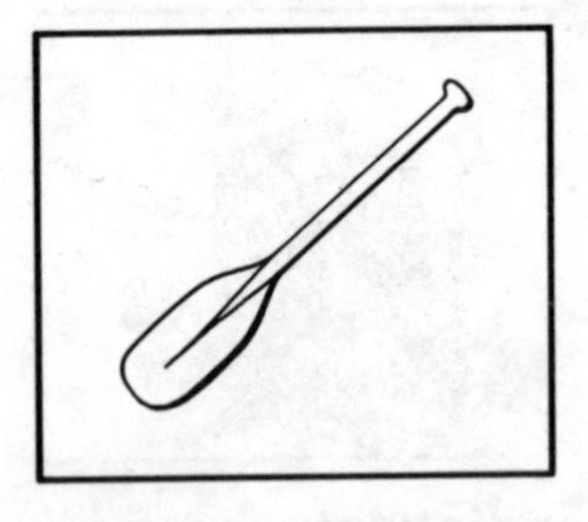

aviron

aviron

baignoire
baignoire

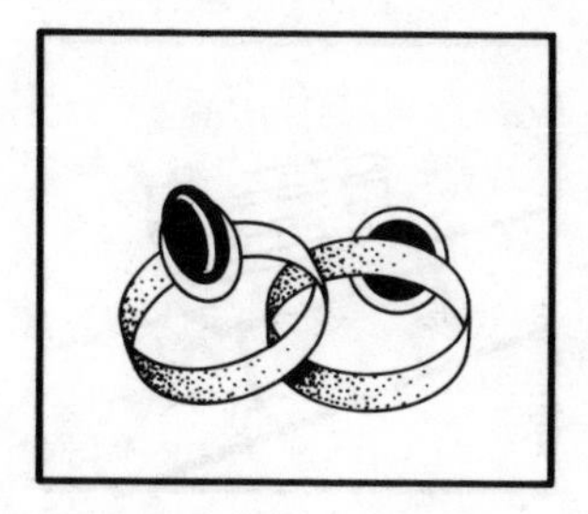

bague
bague

balai
balai

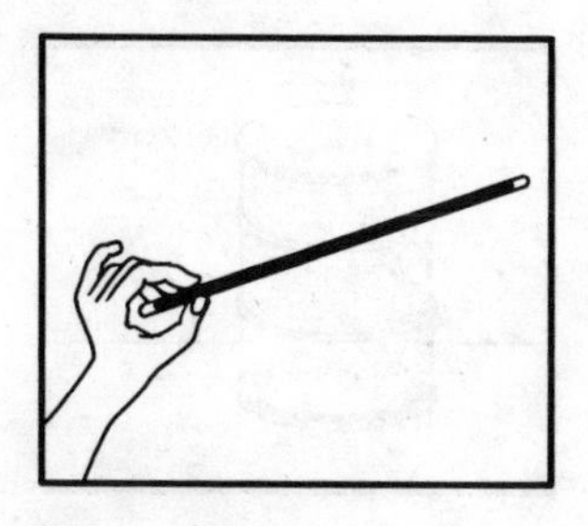

baguette
baguette

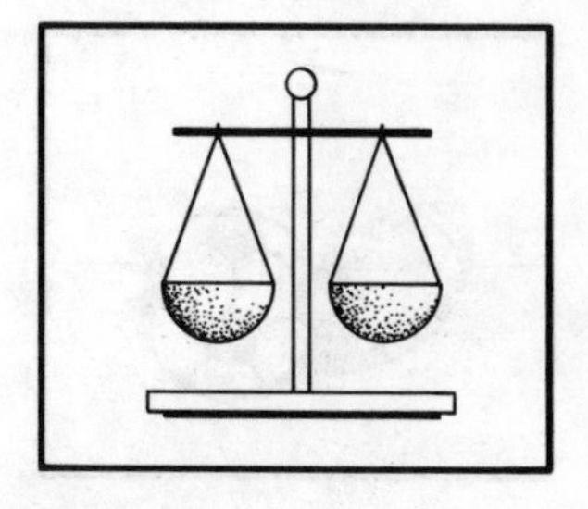

balance
balance

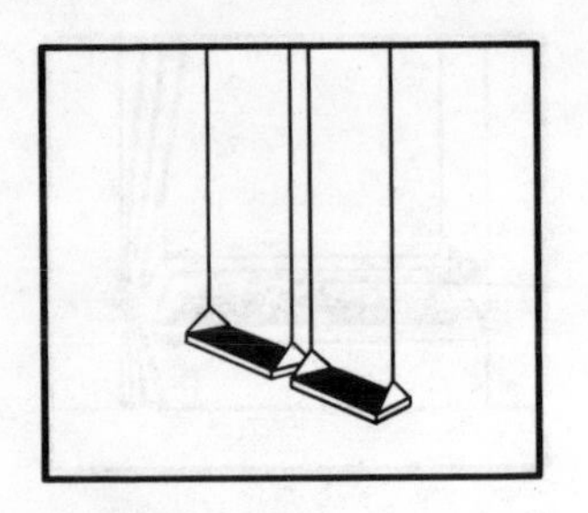

balançoire

balançoire

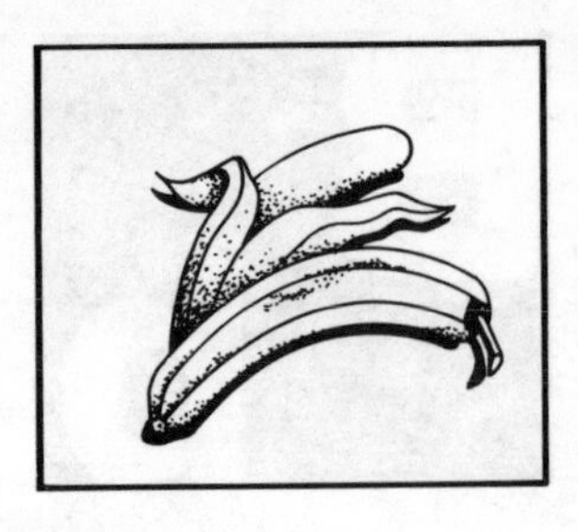

banane

banane

baleine

baleine

banc

banc

ballon

ballon

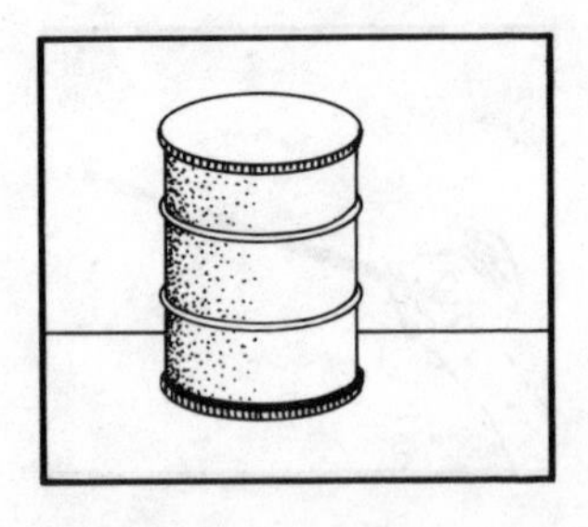

baril

baril

barque
barque

bébé
bébé

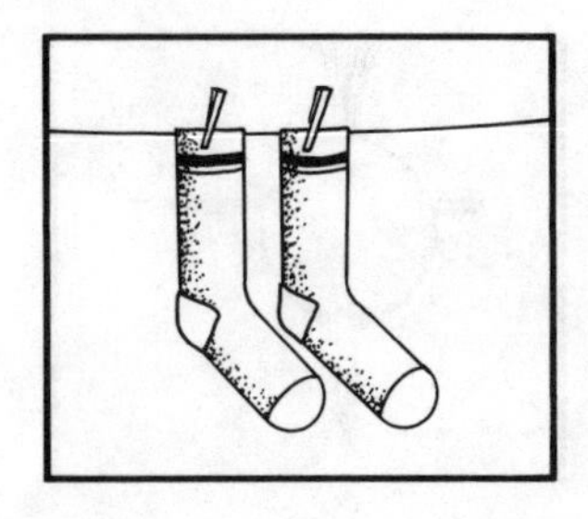

bas
bas

bêche
bêche

batterie
batterie

belette
belette

bélier
bélier

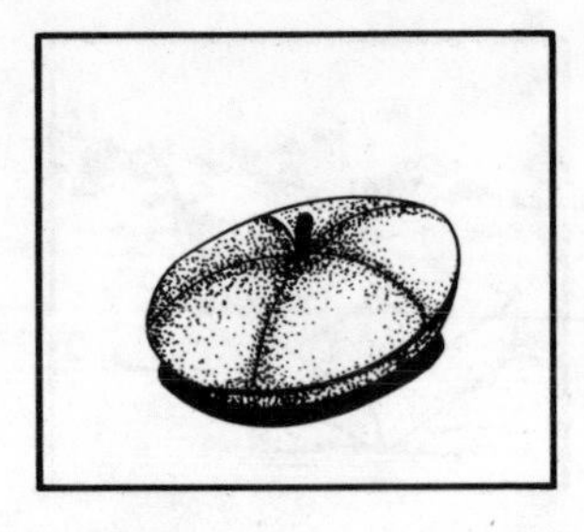

béret
béret

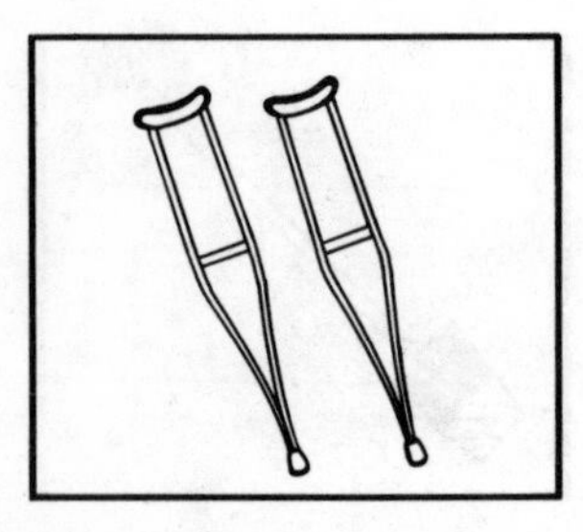

béquille
béquille

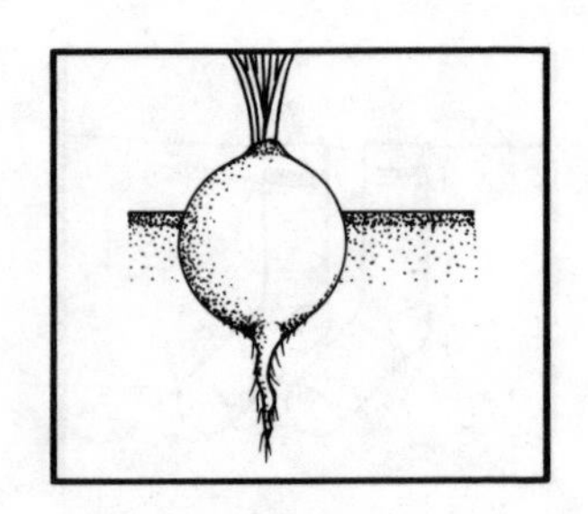

betterave
betterave

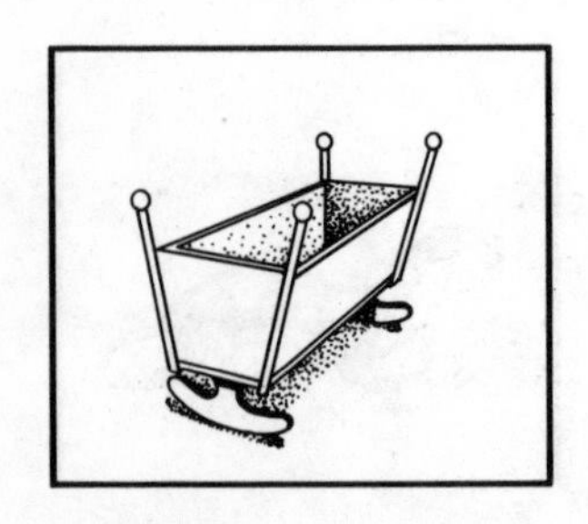

berceau
berceau

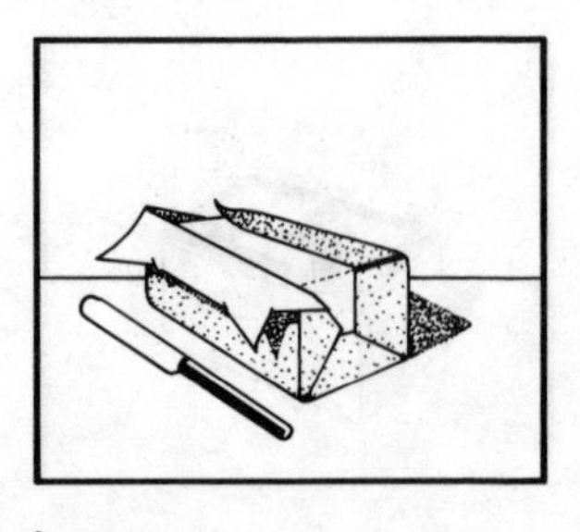

beurre
beurre

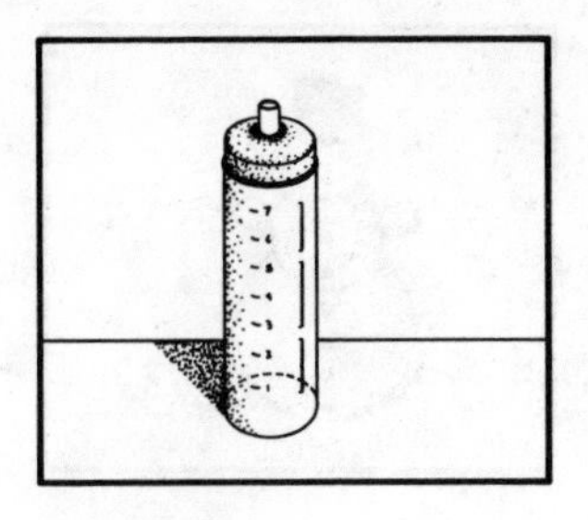

biberon
biberon

bidon
bidon

biche
biche

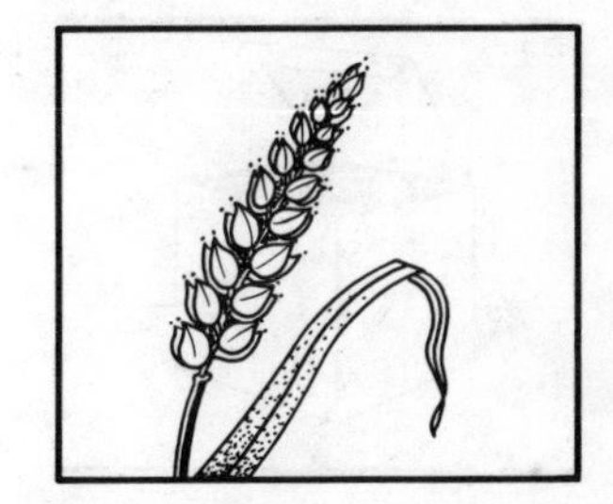

blé
blé

bicyclette
bicyclette

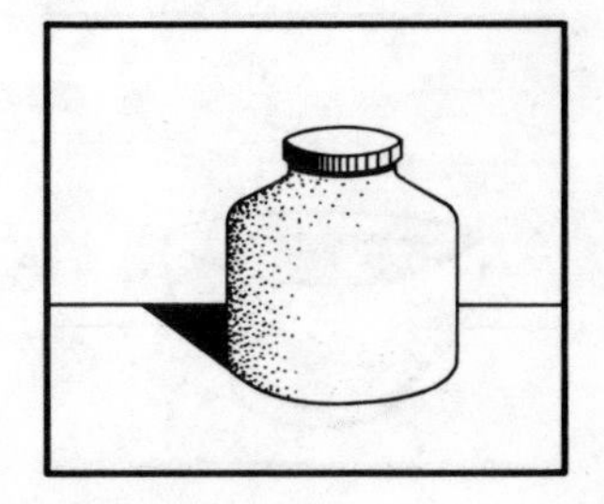

bocal
bocal

bœuf
bœuf

bonhomme
bonhomme

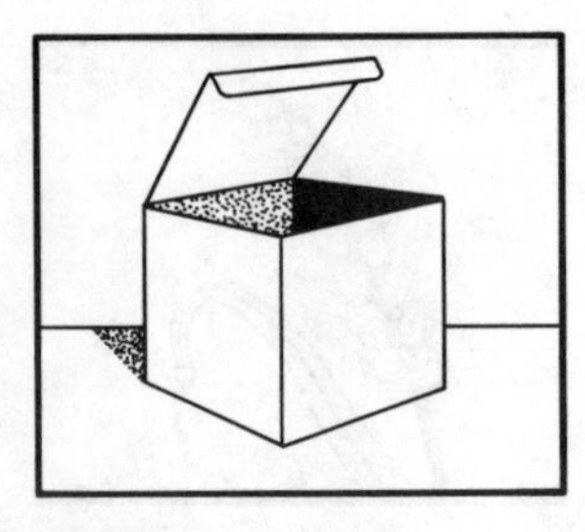

boîte
boîte

botte
botte

bol
bol

bouc
bouc

bouée

bouée

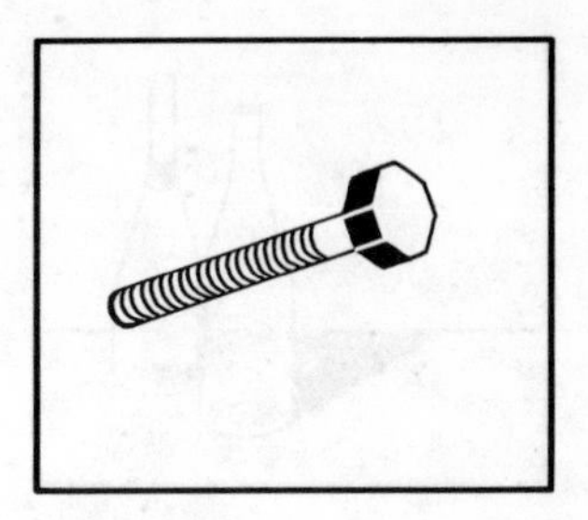

boulon

boulon

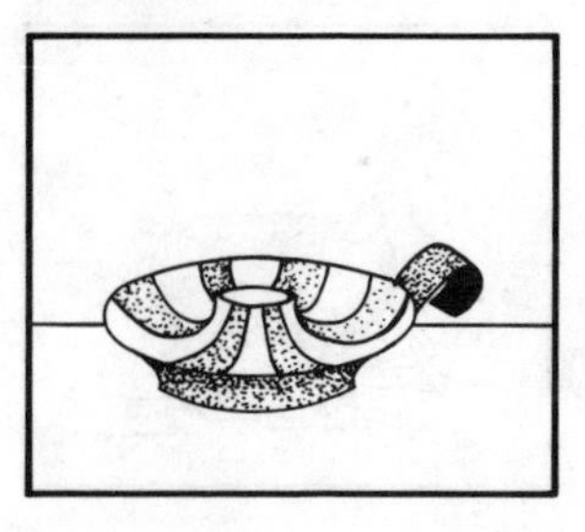

bougeoir

bougeoir

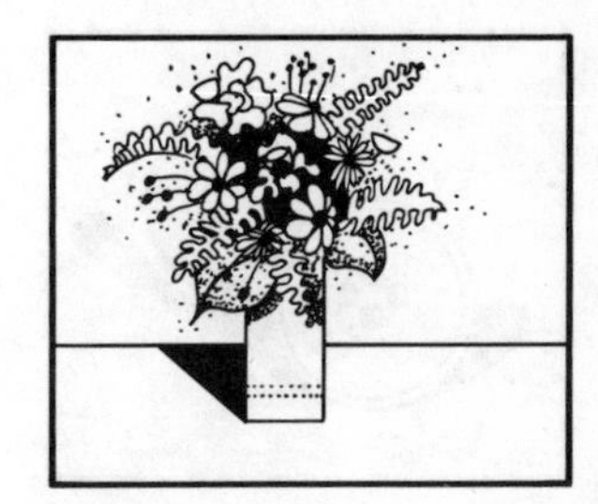

bouquet

bouquet

bougie

bougie

boussole

boussole

bouteille

bouteille

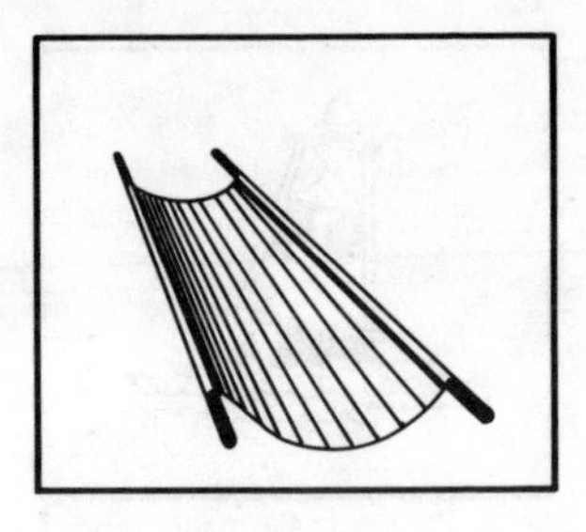

brancard

brancard

bouton

bouton

brebis

brebis

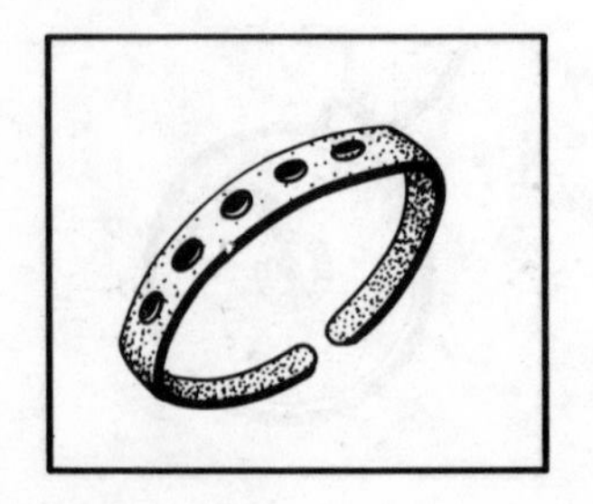

bracelet

bracelet

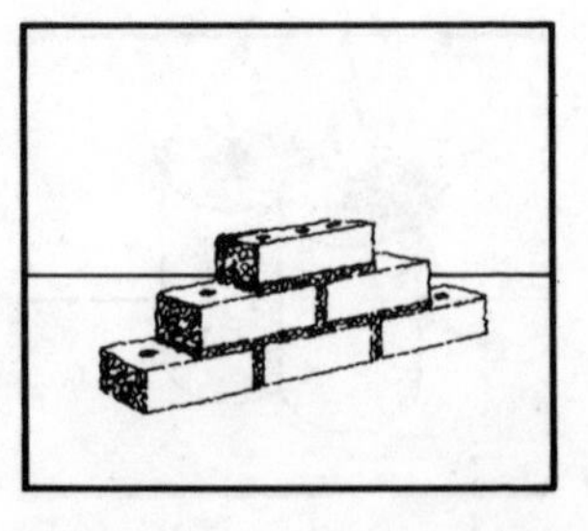

brique

brique

briquet
briquet

brouette
brouette

brochet
brochet

bûche
bûche

brosse
brosse

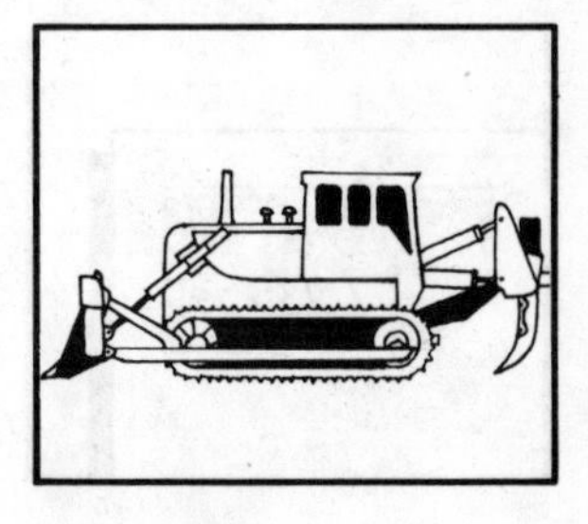

bulldozer
bulldozer

cabane

cabane

cachet

cachet

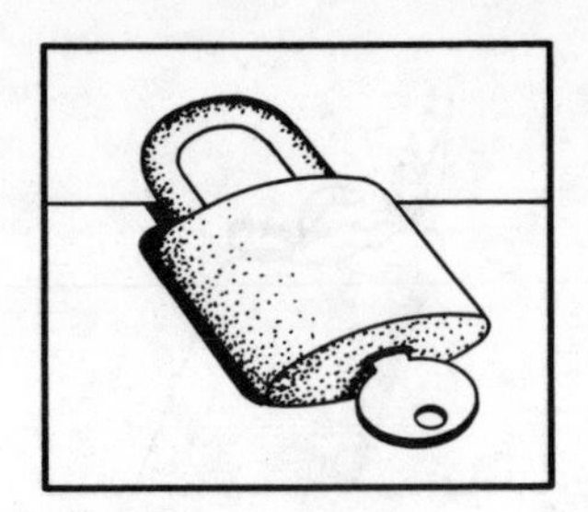

cadenas

cadenas

cadran

cadran

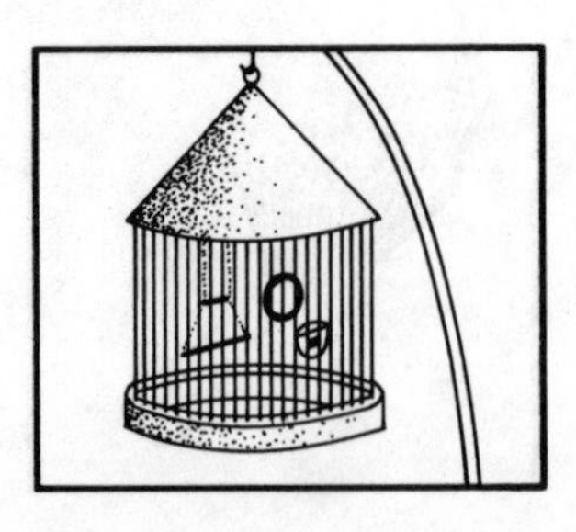

cage

cage

cahier

cahier

calepin

calepin

calculatrice

calculatrice

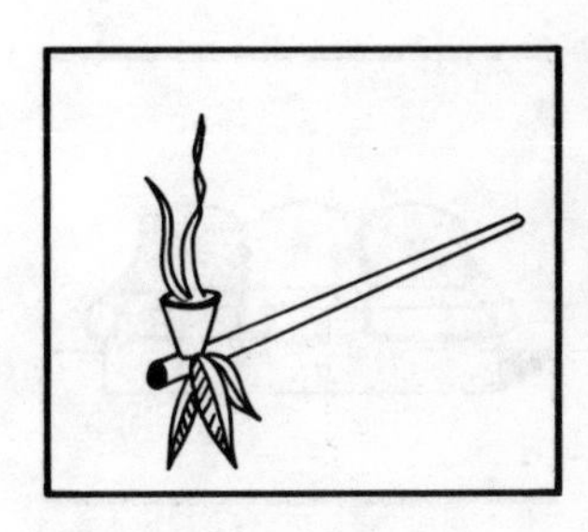

calumet

calumet

calendrier

calendrier

caméra

caméra

camion

camion

canari

canari

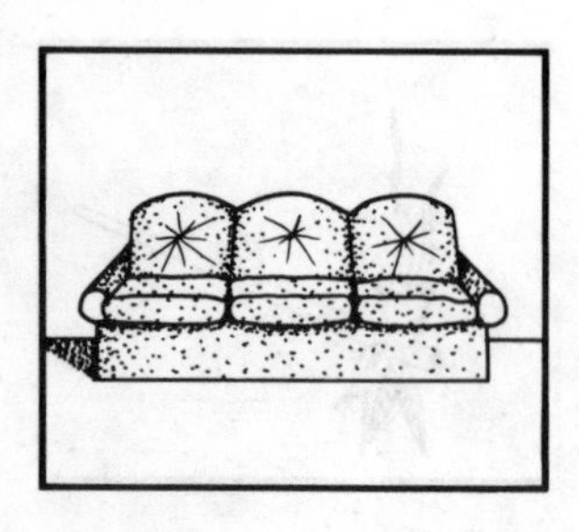

canapé

canapé

canette

canette

canard

canard

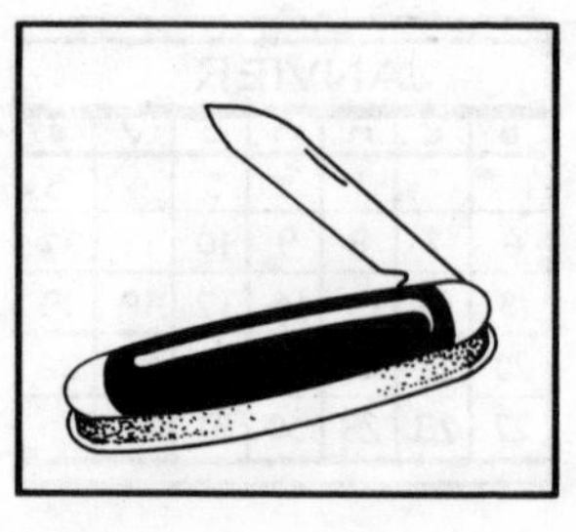

canif

canif

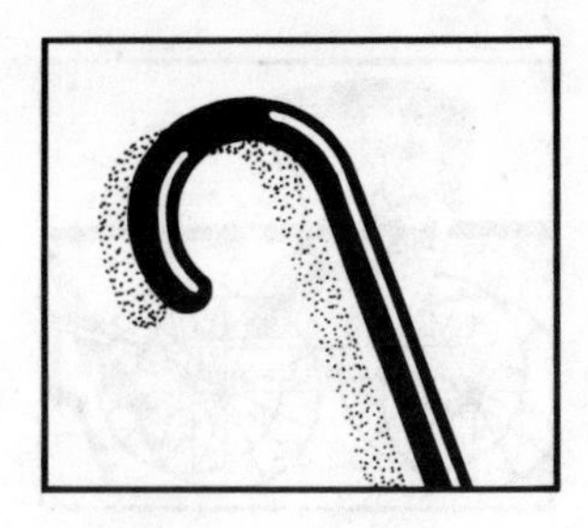

canne

canne

canot

canot

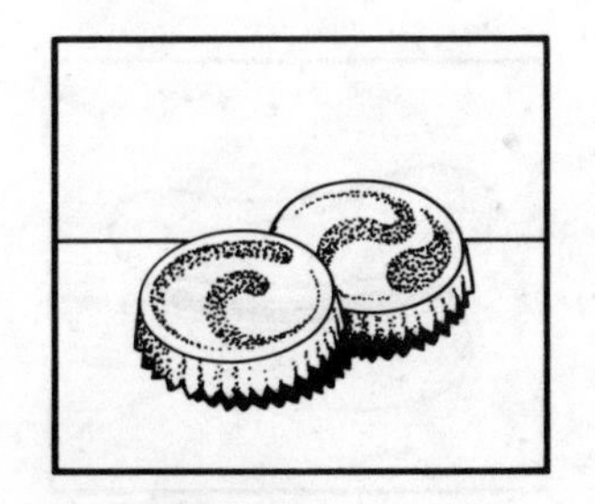

capsule

capsule

carafe

carafe

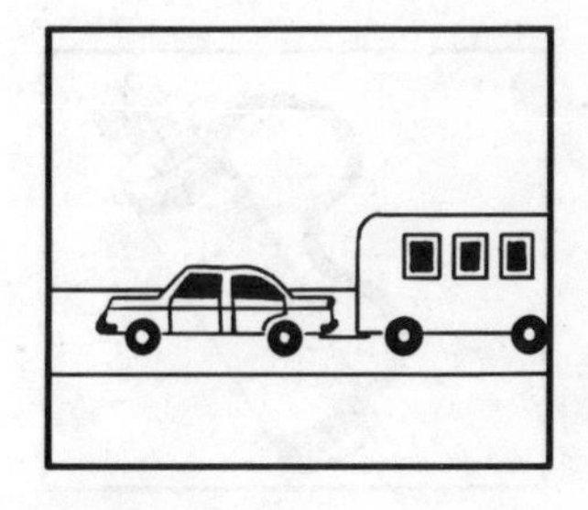

caravane

caravane

carotte

carotte

carpe

carpe

carrosse

carrosse

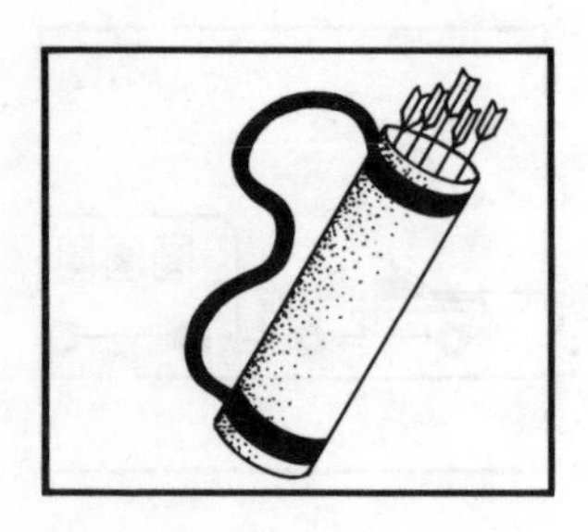

carquois

carquois

casque

casque

carriole

carriole

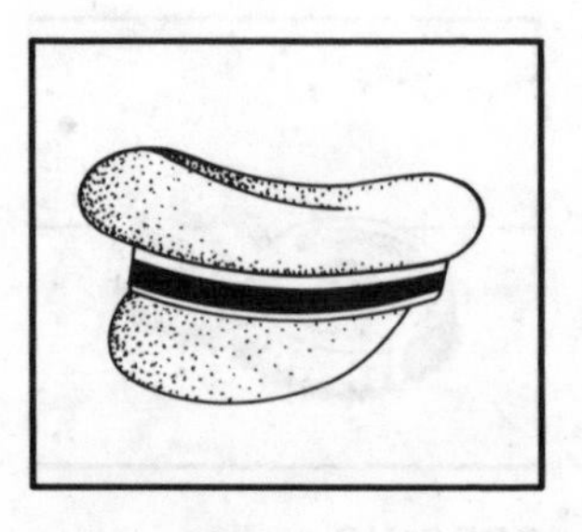

casquette

casquette

cassette
cassette

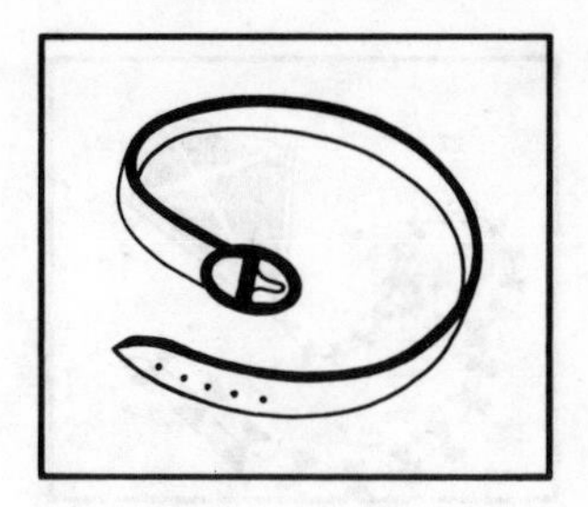

ceinture
ceinture

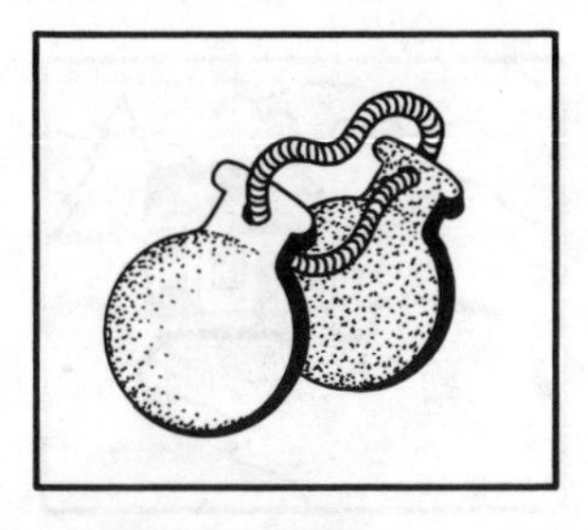

castagnettes
castagnettes

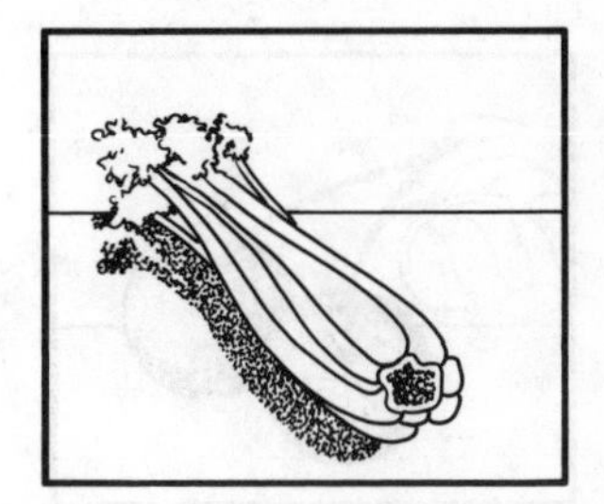

céleri
céleri

castor
castor

cerf
cerf

cerf-volant

cerf-volant

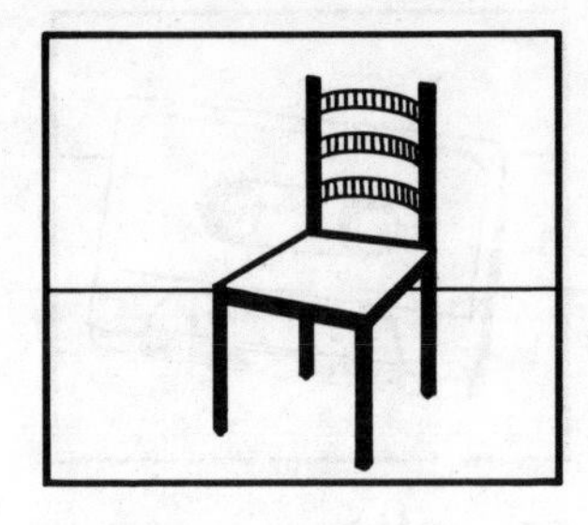

chaise

chaise

cerise

cerise

chalet

chalet

chaîne

chaîne

chameau

chameau

champignon
champignon

chardonneret
chardonneret

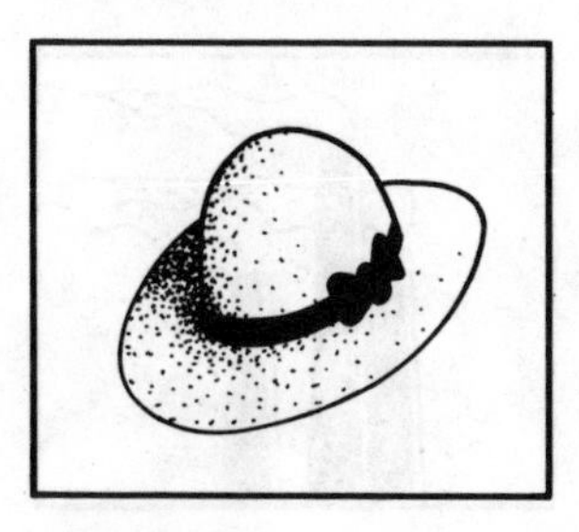

chapeau
chapeau

chariot
chariot

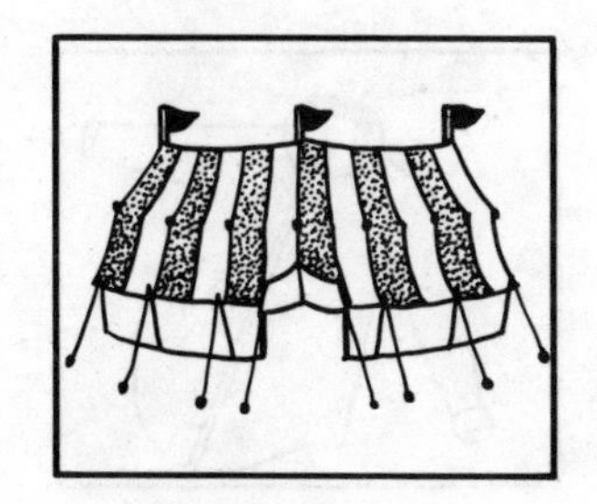

chapiteau
chapiteau

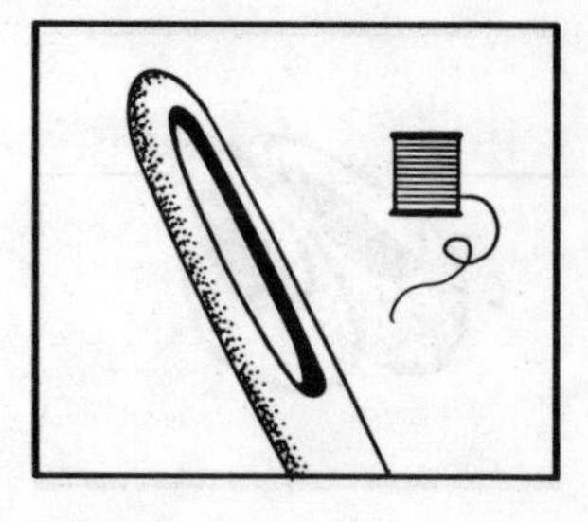

chas
chas

chat
chat

chauve-souris
chauve-souris

château
château

cheminée
cheminée

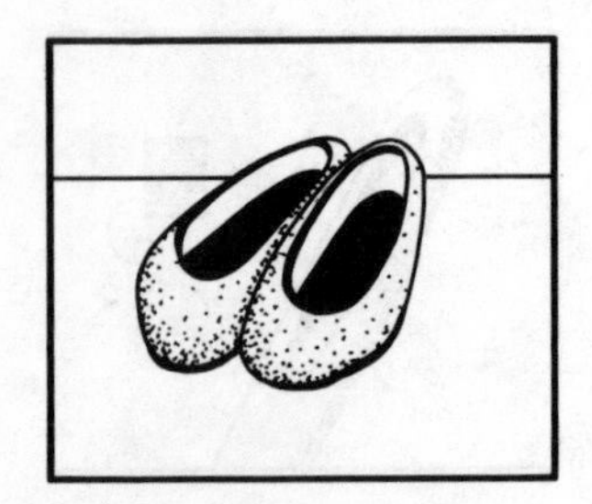

chausson
chausson

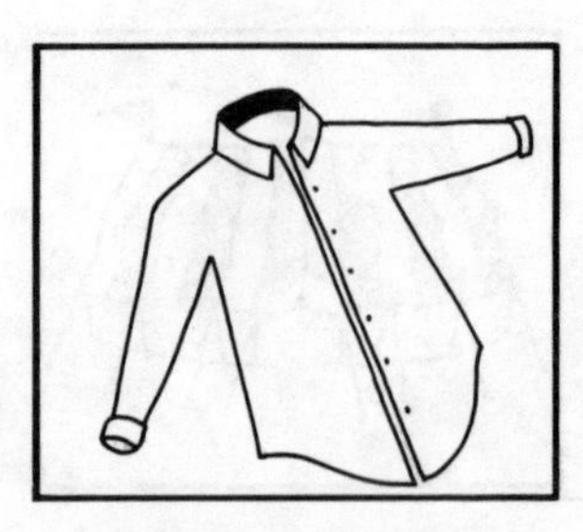

chemise
chemise

chenille

chenille

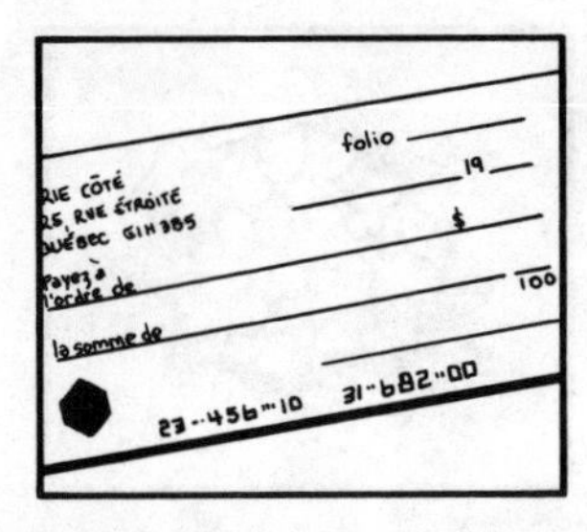

chèque

chèque

cheval

cheval

chevalet

chevalet

chèvre

chèvre

chevreuil

chevreuil

chien
chien

chouette
chouette

chope
chope

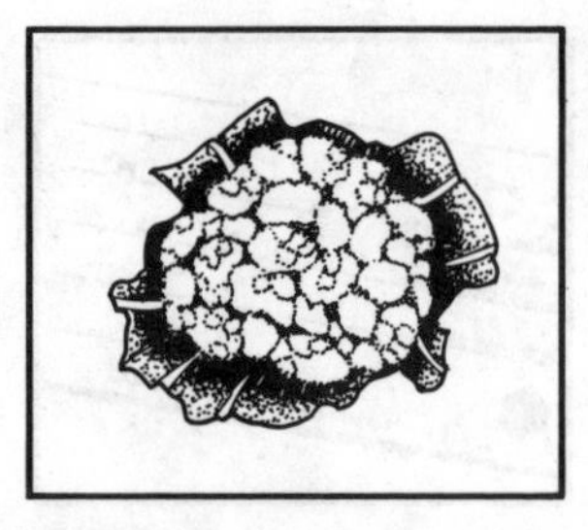

chou-fleur
chou-fleur

chou
chou

chronomètre
chronomètre

cigogne

cigogne

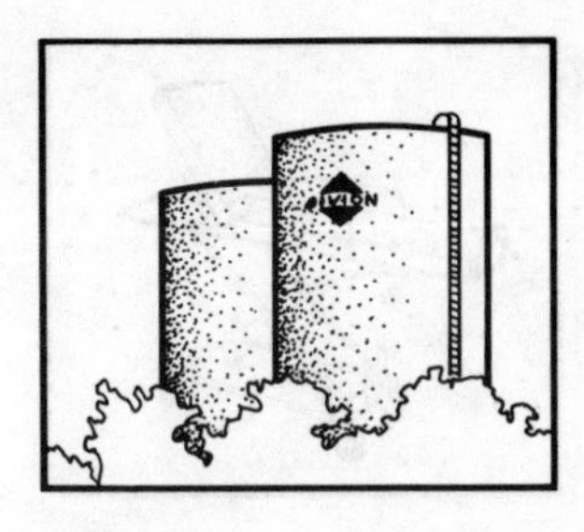

citerne

citerne

cintre

cintre

citron

citron

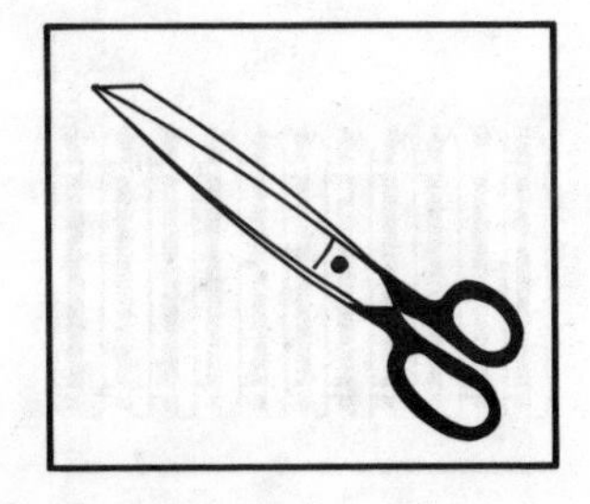

ciseau

ciseau

citrouille

citrouille

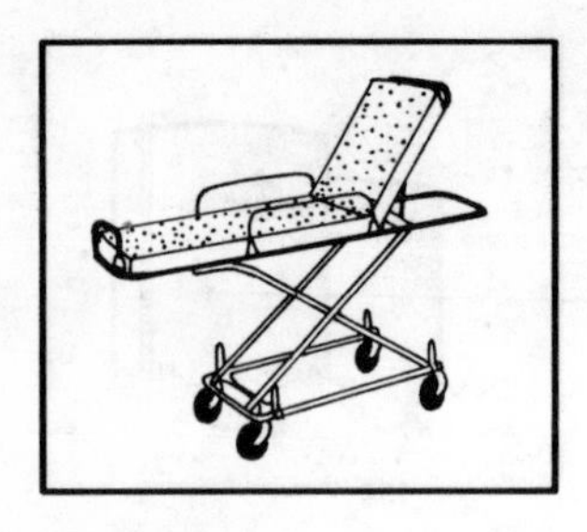

civière
civière

clef / clé
clef / clé

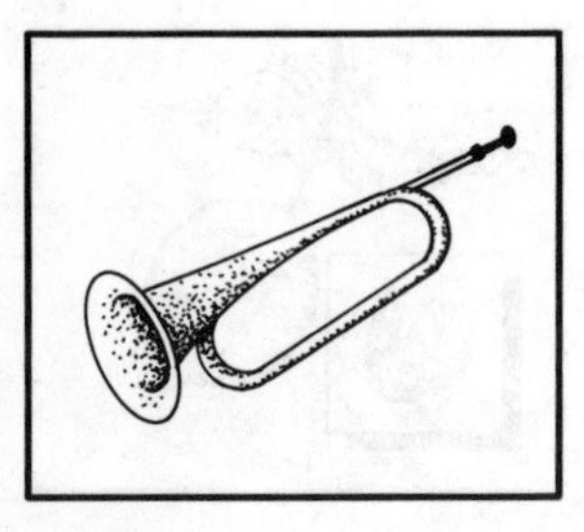

clairon
clairon

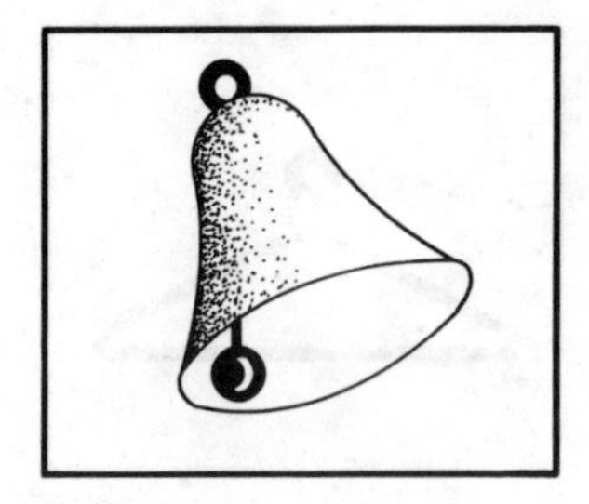

cloche
cloche

clarinette
clarinette

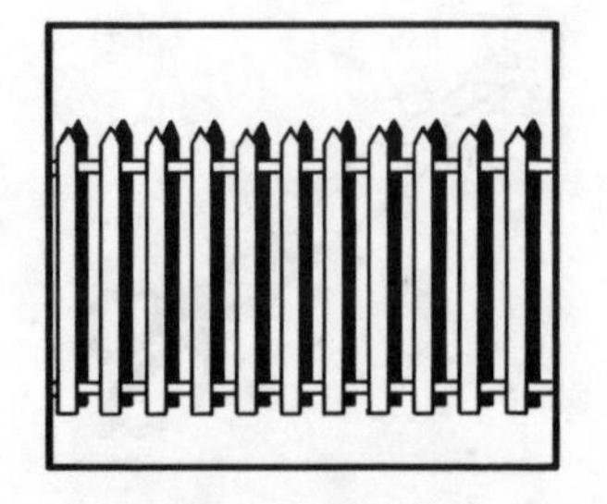

clôture
clôture

clou
clou

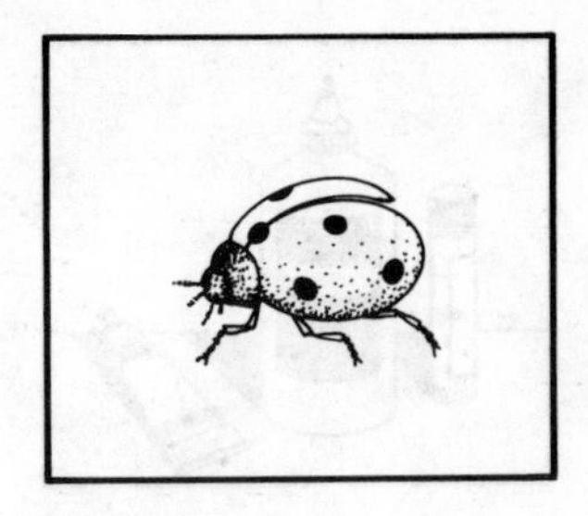

coccinelle
coccinelle

cobaye
cobaye

cochon
cochon

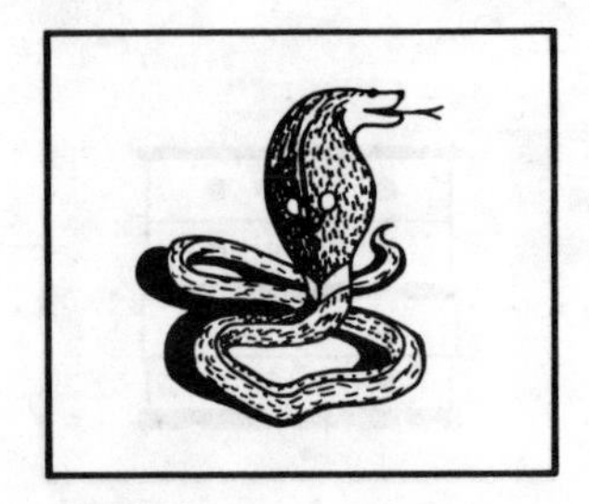

cobra
cobra

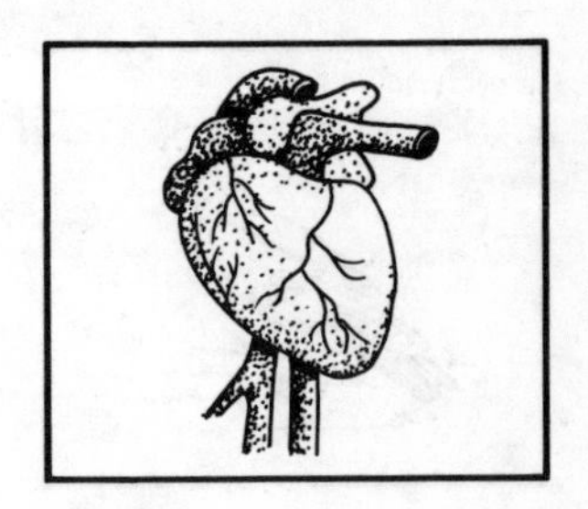

cœur
cœur

colle

colle

colonne

colonne

collier

collier

comète

comète

colombe

colombe

commode

commode

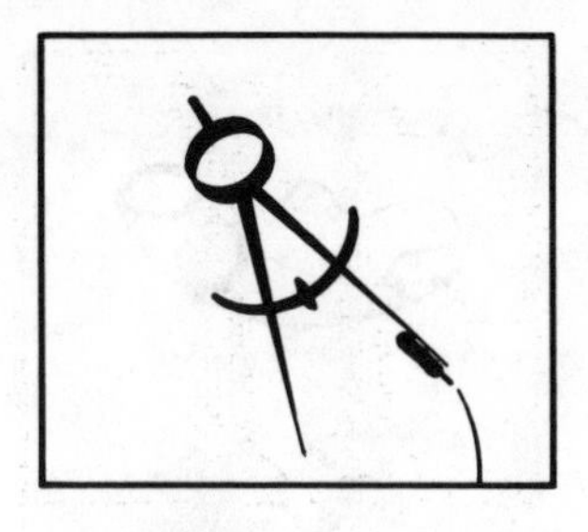

compas

compas

concombre

concombre

comprimé

comprimé

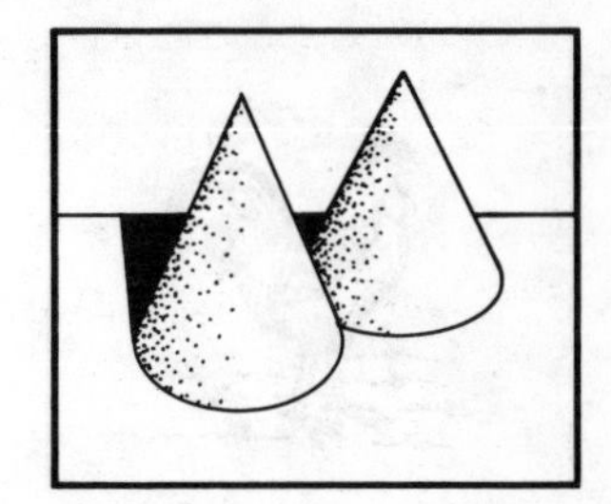

cône

cône

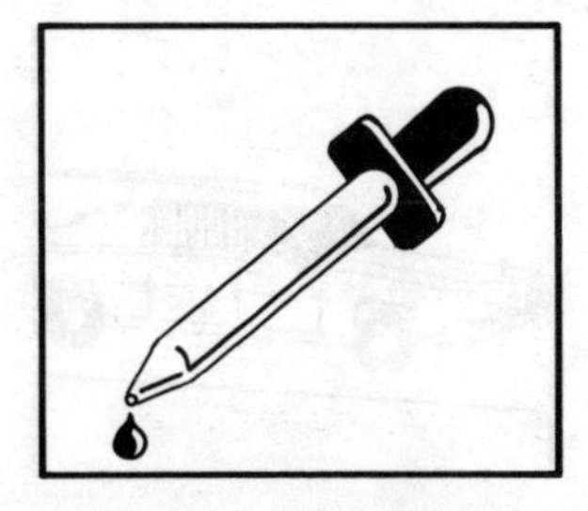

compte-gouttes

compte-gouttes

consonne

consonne

contrebasse
contrebasse

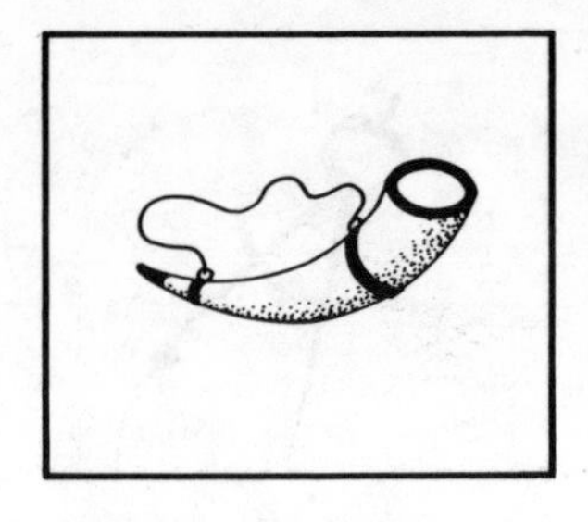

cor
cor

coq
coq

corbeille
corbeille

coquelicot
coquelicot

corbillard
corbillard

corneille
corneille

couleuvre
couleuvre

cornemuse
cornemuse

coupe
coupe

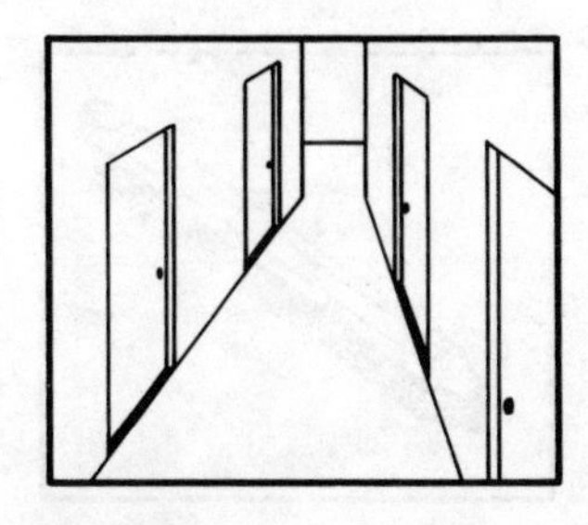

corridor
corridor

couronne
couronne

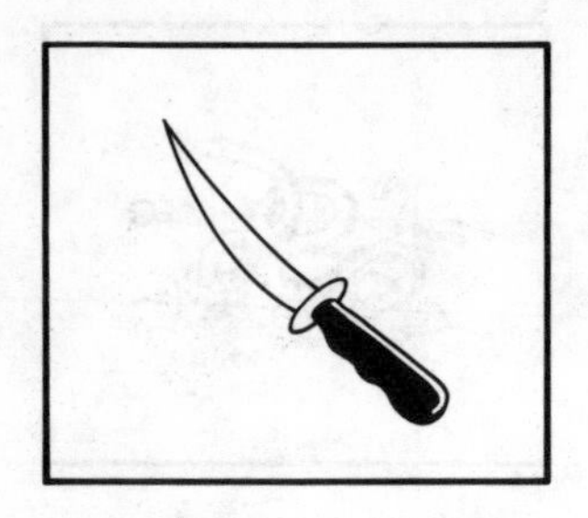

couteau

couteau

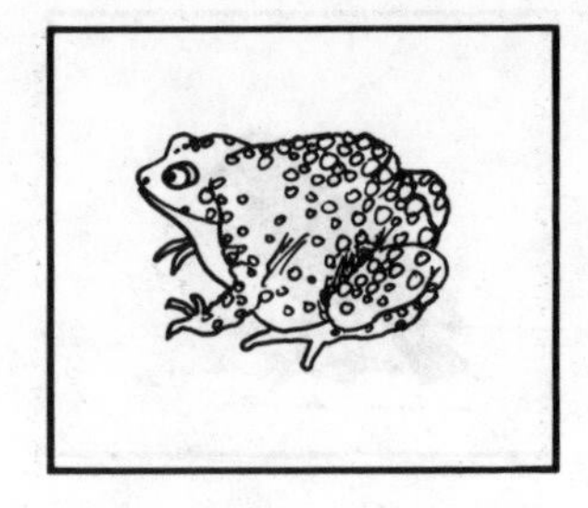

crapaud

crapaud

couvert

couvert

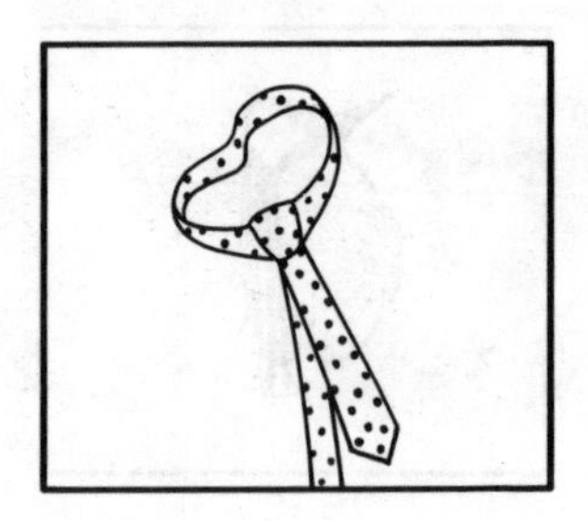

cravate

cravate

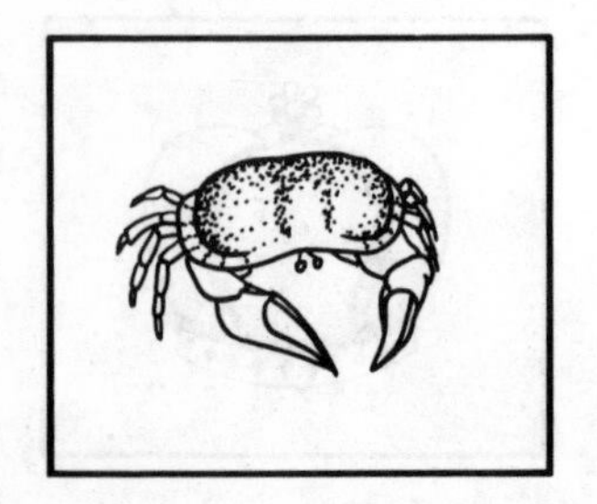

crabe

crabe

crayon

crayon

crevette

crevette

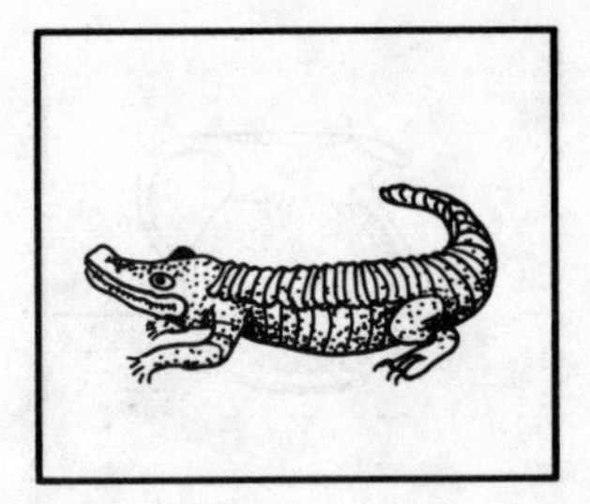

crocodile

crocodile

cric

cric

croissant

croissant

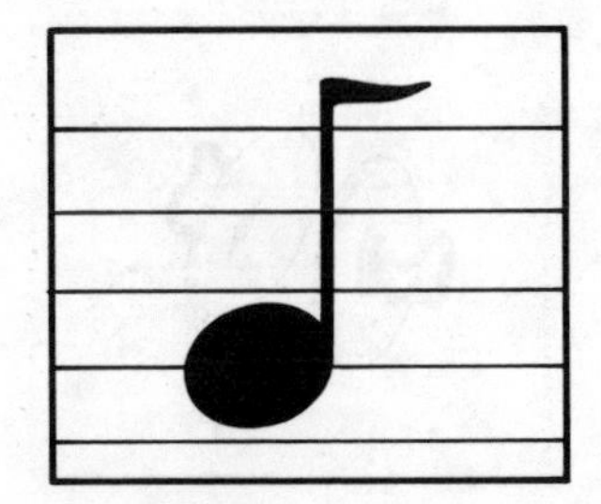

croche

croche

croix

croix

cruche

cruche

cygne

cygne

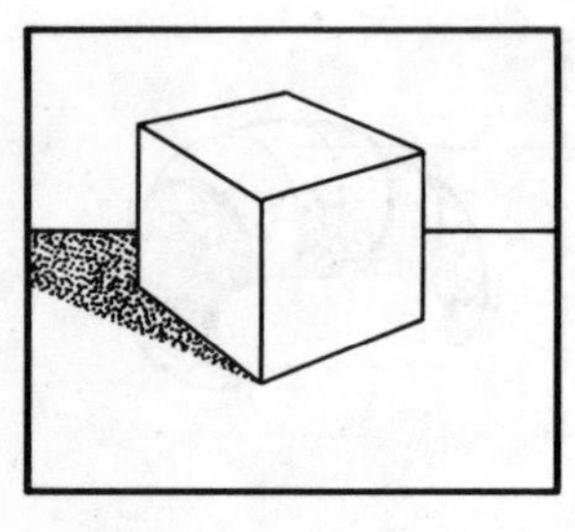

cube

cube

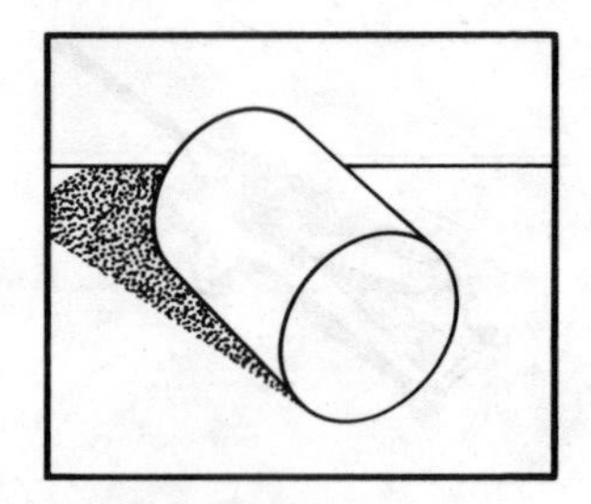

cylindre

cylindre

cuillère/cuiller

cuillère/cuiller

cymbale

cymbale

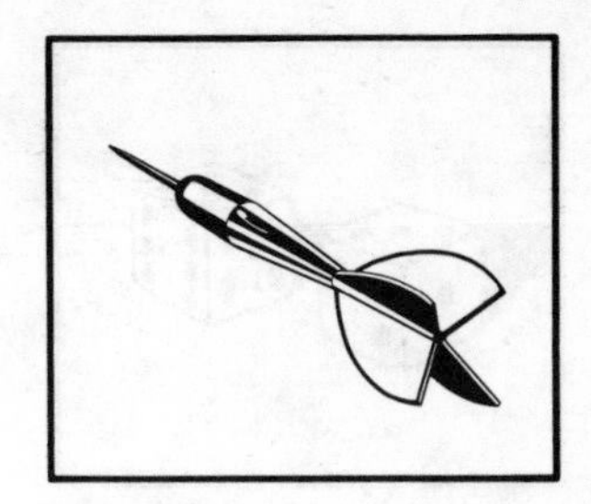

dard
dard

damier
damier

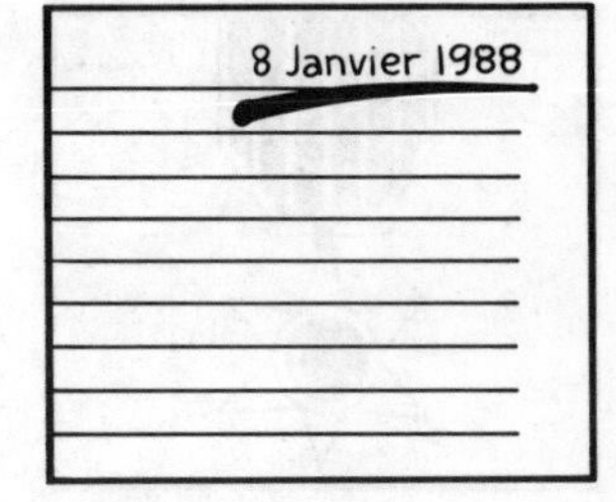

date
date

danger
danger

dauphin
dauphin

dé

dé

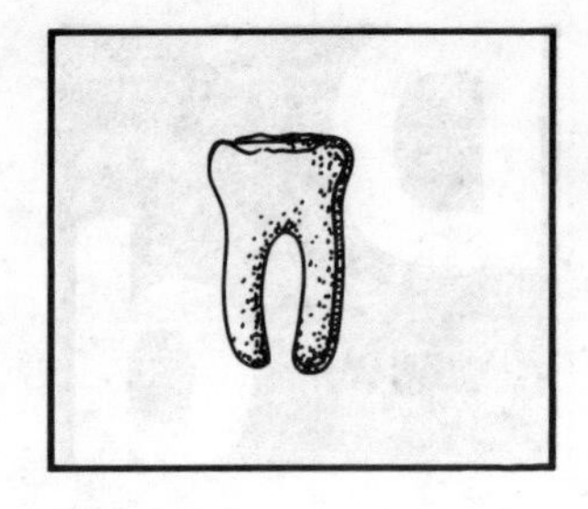

dent

dent

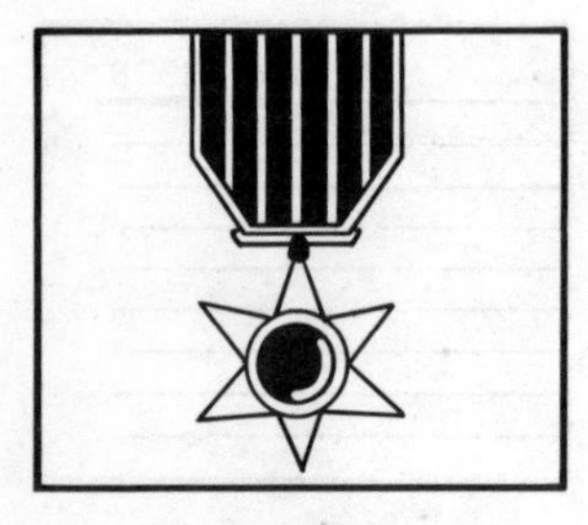

décoration

décoration

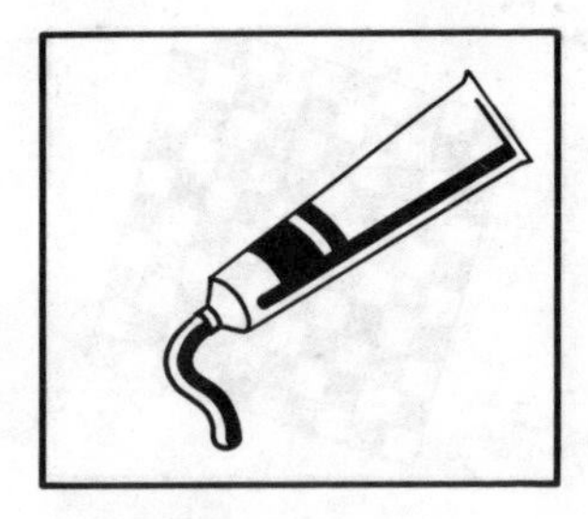

dentifrice

dentifrice

déjeuner

déjeuner

dépanneuse

dépanneuse

désert
désert

diapositive
diapositive

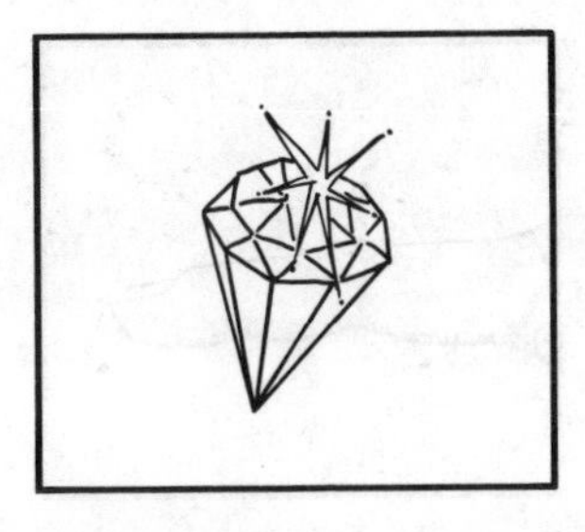

diamant
diamant

dictionnaire
dictionnaire

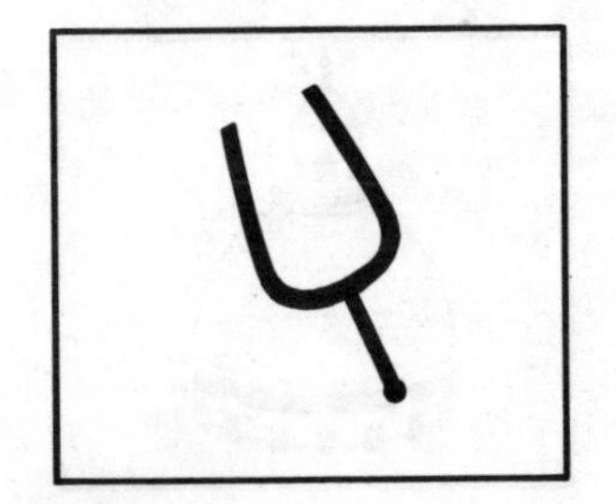

diapason
diapason

diligence
diligence

dinde
dinde

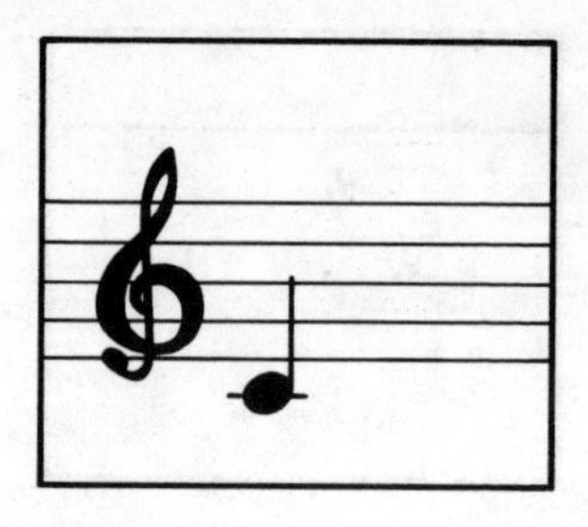

do
do

dinosaure
dinosaure

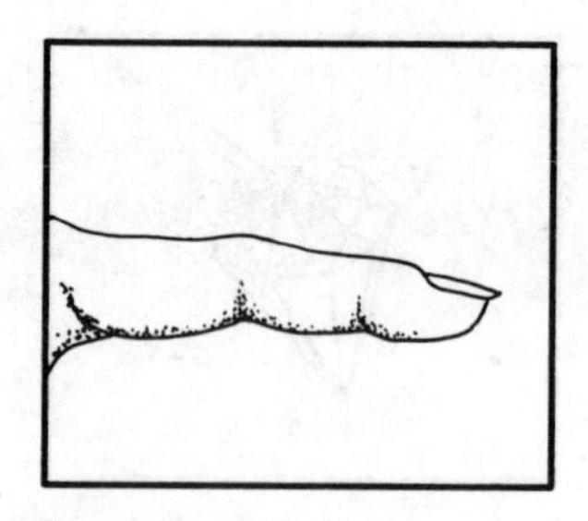

doigt
doigt

disque
disque

dôme
dôme

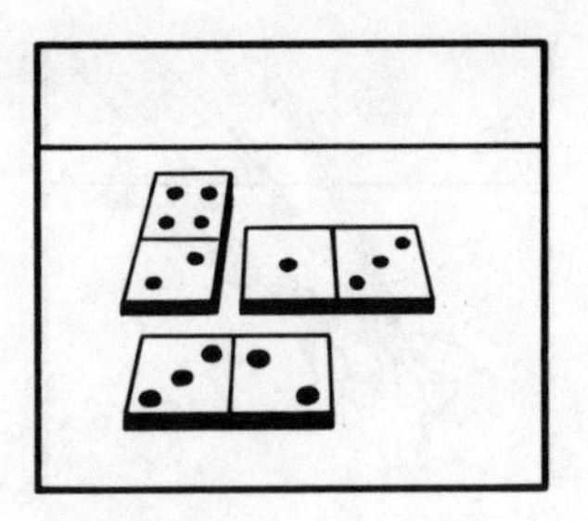

domino
domino

dragon
dragon

dossard
dossard

drapeau
drapeau

douche
douche

dromadaire
dromadaire

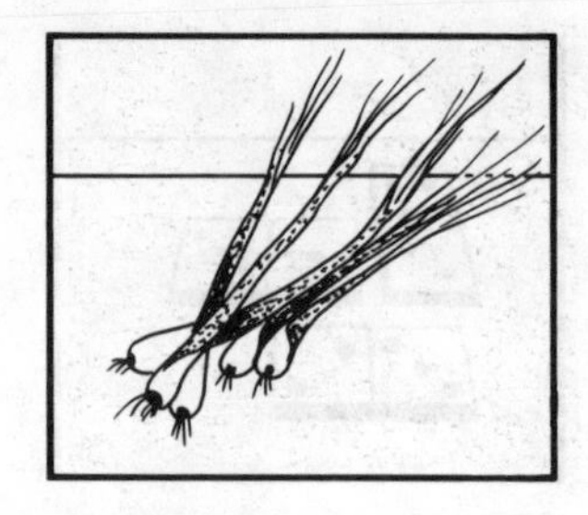

échalote

échalote

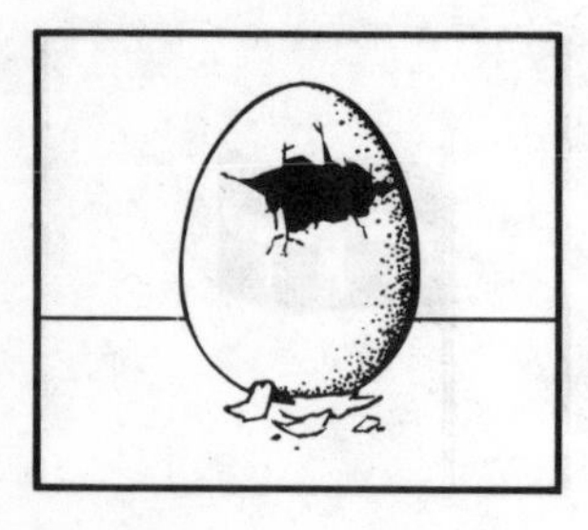

écaille

écaille

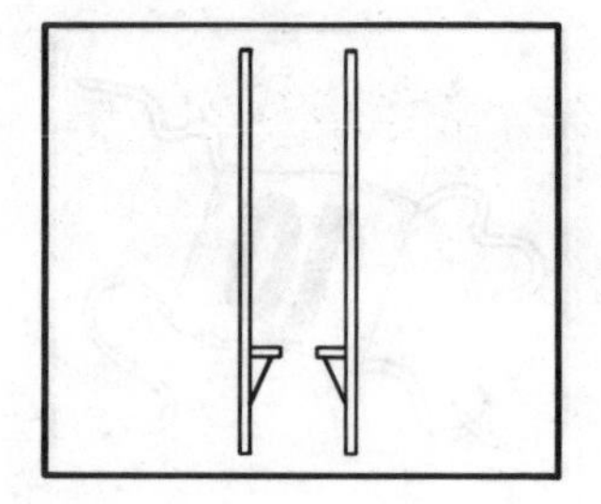

échasse

échasse

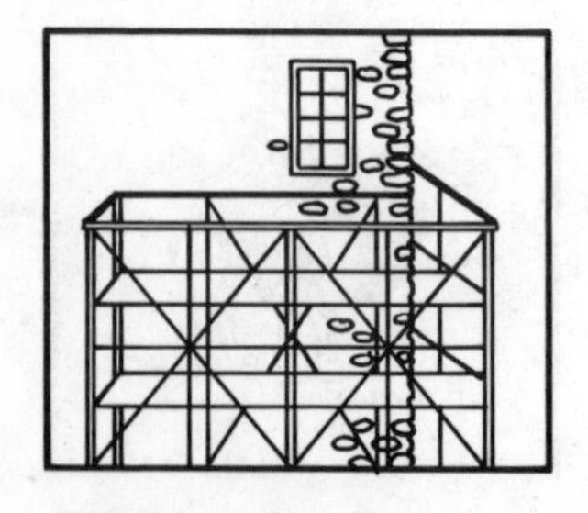

échafaudage

échafaudage

échelle

échelle

éclair

éclair

écran

écran

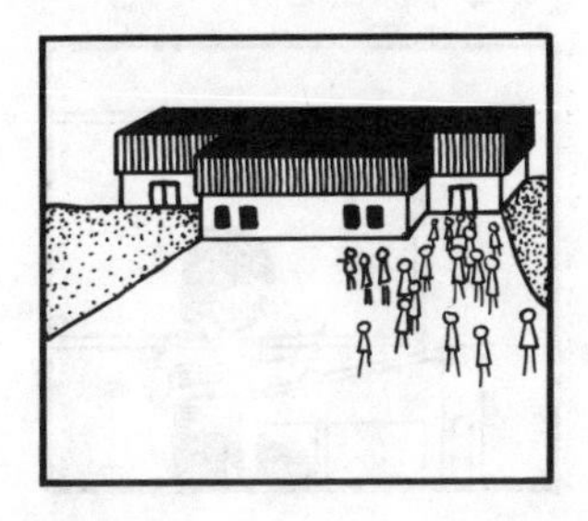

école

école

écrevisse

écrevisse

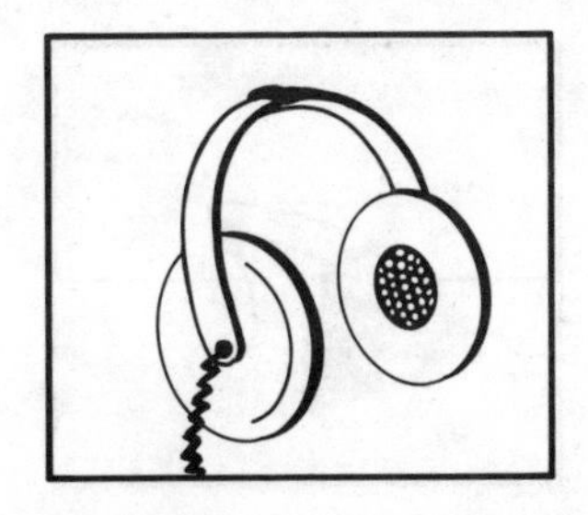

écouteur

écouteur

écureuil

écureuil

édifice
édifice

éléphant
éléphant

église
église

élève
élève

élan
élan

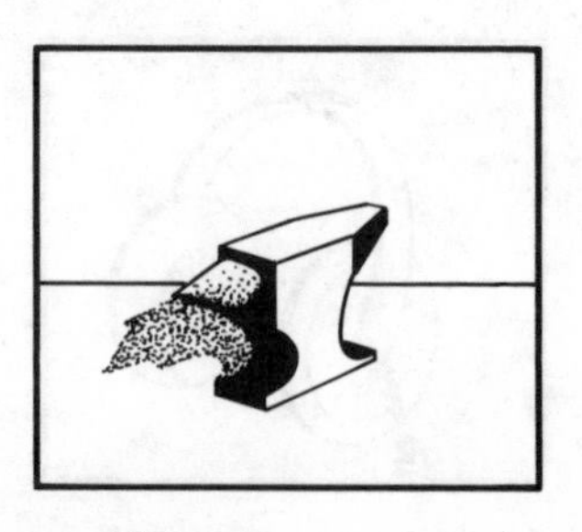

enclume
enclume

enfant
enfant

enseigne
enseigne

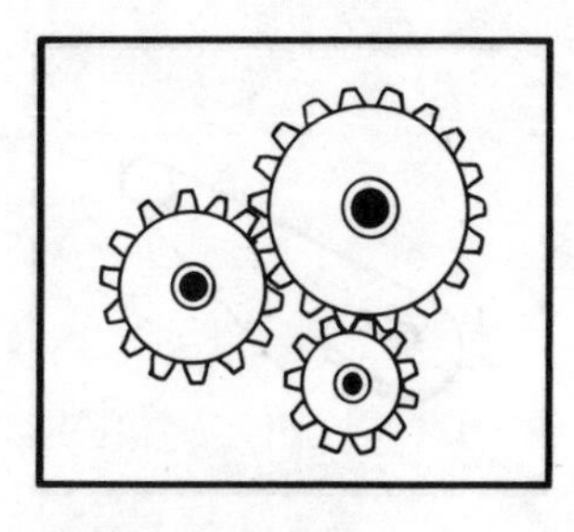

engrenage
engrenage

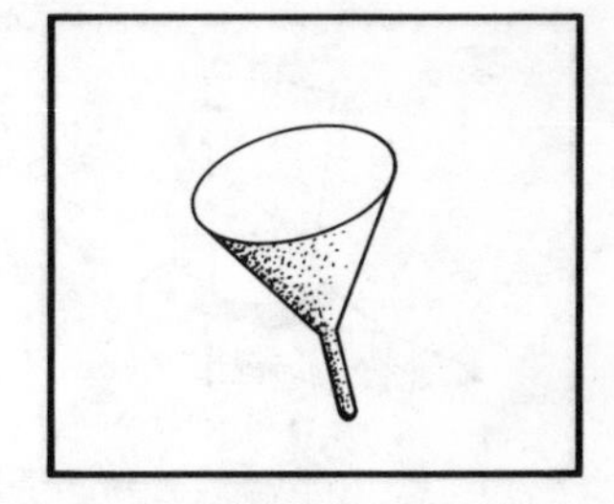

entonnoir
entonnoir

enseignant
enseignant

enveloppe
enveloppe

épée

épée

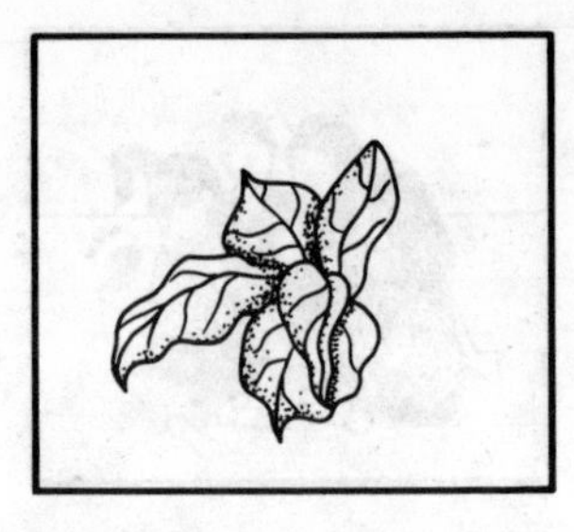

épinard

épinard

éperon

éperon

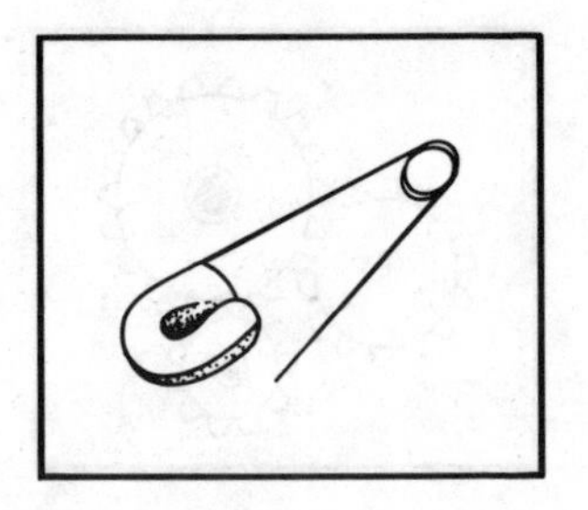

épingle

épingle

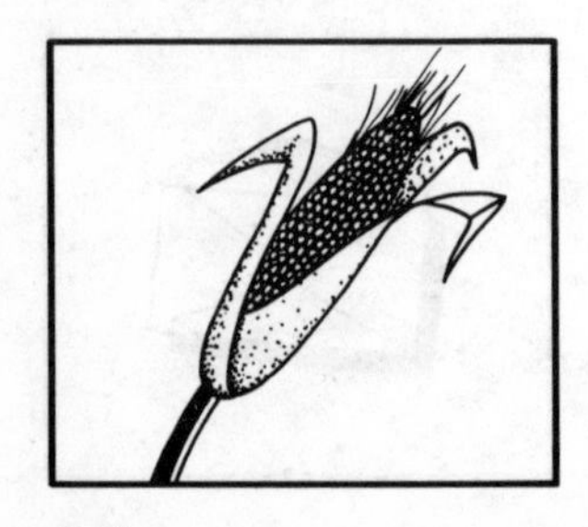

épi

épi

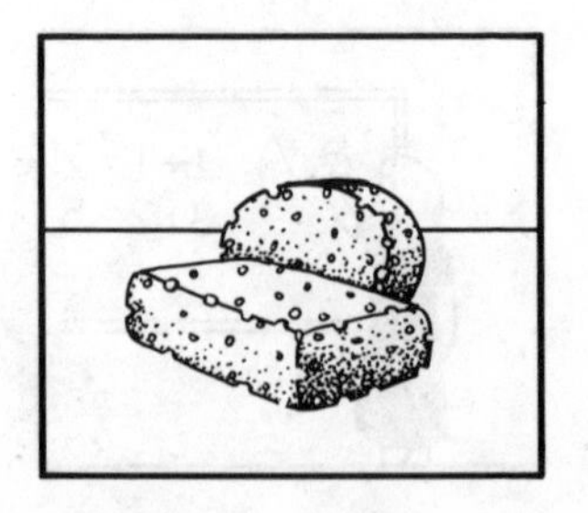

éponge

éponge

épouvantail

épouvantail

équerre

équerre

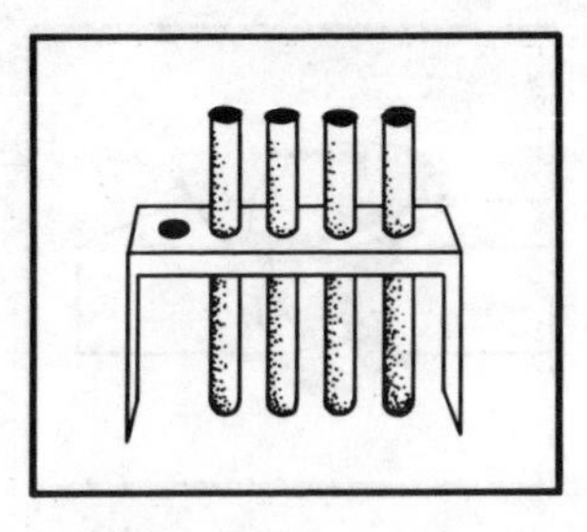

éprouvette

éprouvette

escabeau

escabeau

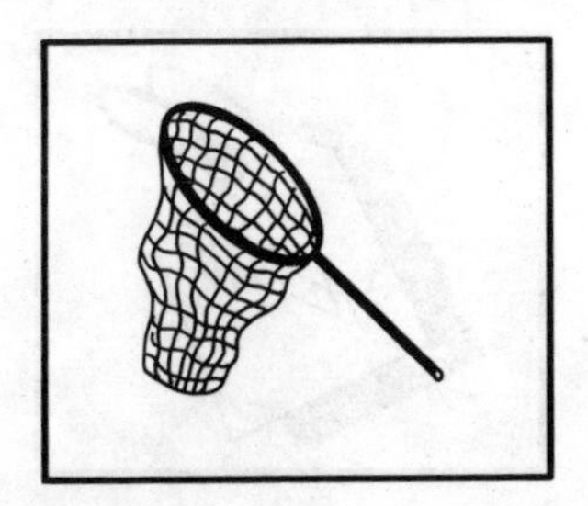

épuisette

épuisette

escalier

escalier

escargot
escargot

espadrille
espadrille

étable
étable

étampe
étampe

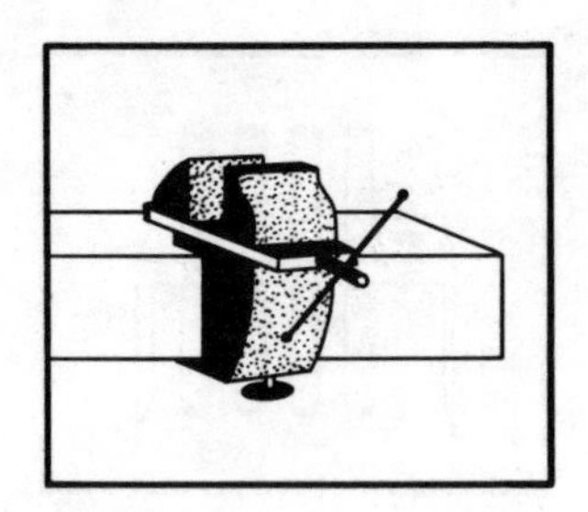

étau
étau

étiquette
étiquette

étoile

étoile

évier

évier

étourneau

étourneau

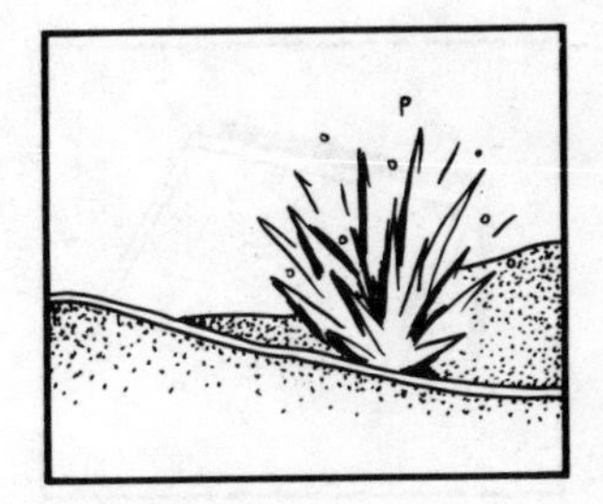

explosion

explosion

éventail

éventail

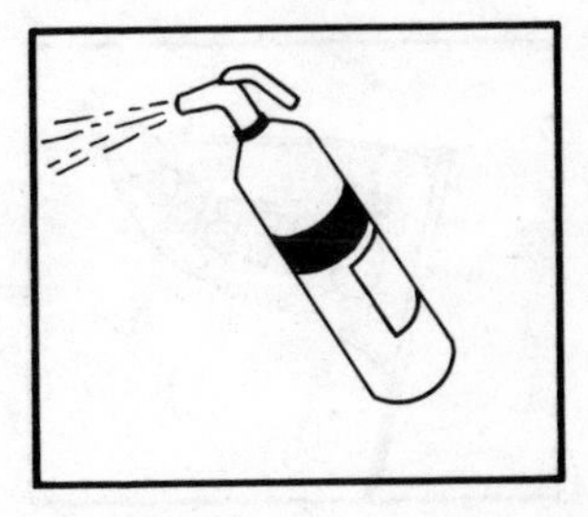

extincteur

extincteur

fantôme

fantôme

faire-part

faire-part

faon

faon

fanion

fanion

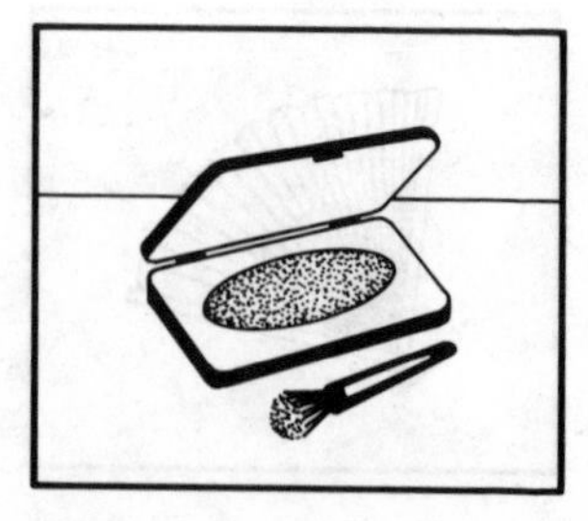

fard

fard

faucon

faucon

fée

fée

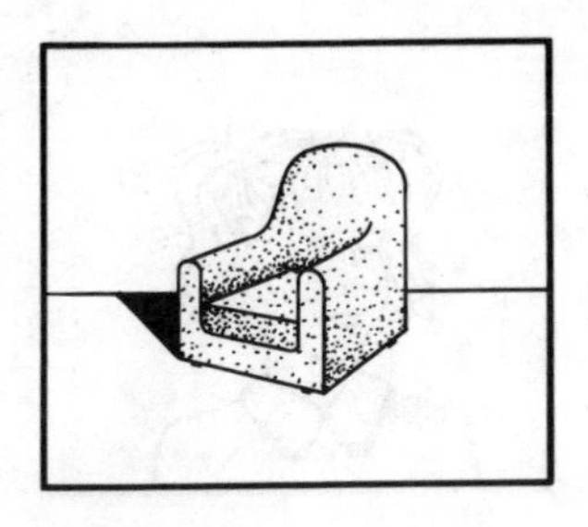

fauteuil

fauteuil

fenêtre

fenêtre

faux

faux

feu

feu

feuillage
feuillage

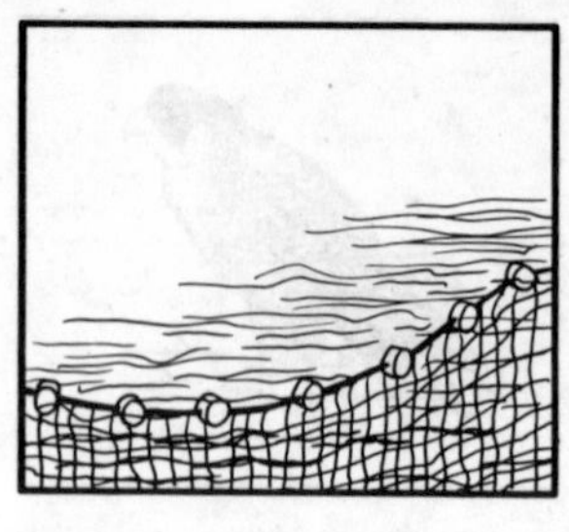

filet
filet

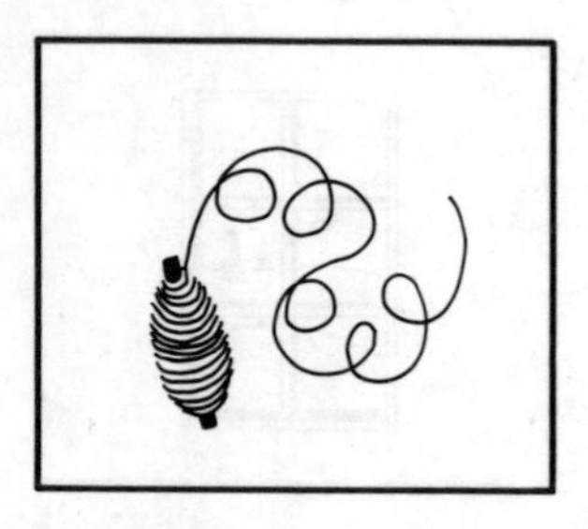

ficelle
ficelle

fille
fille

fil
fil

flacon
flacon

flamant

flamant

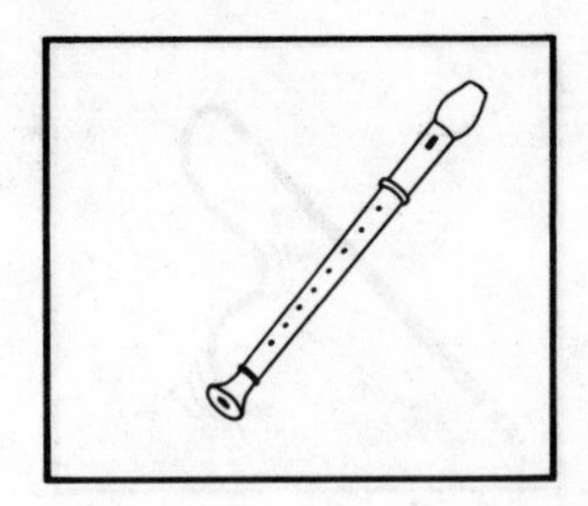

flûte

flûte

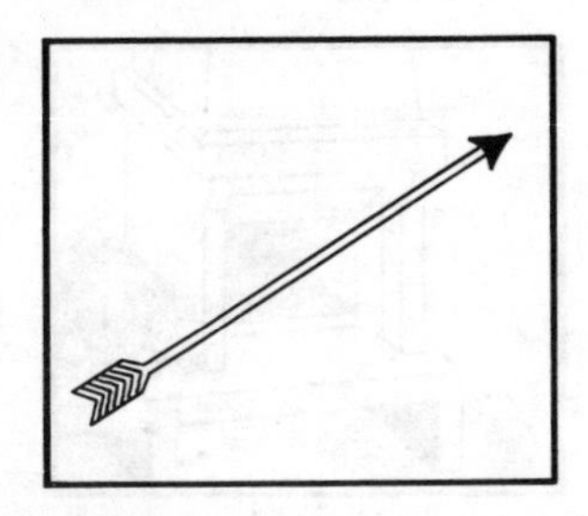

flèche

flèche

fontaine

fontaine

fleur

fleur

forêt

forêt

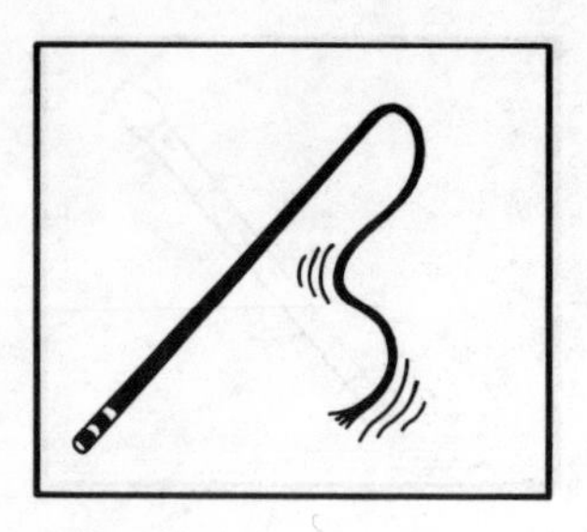

fouet
fouet

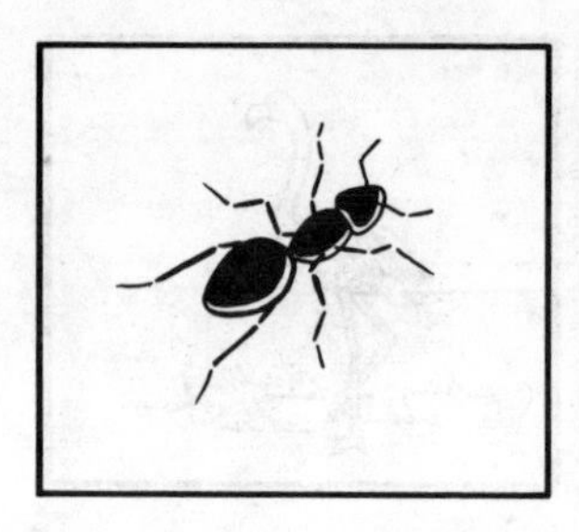

fourmi
fourmi

fougère
fougère

foyer
foyer

fourchette
fourchette

fraise
fraise

framboise
framboise

fusée
fusée

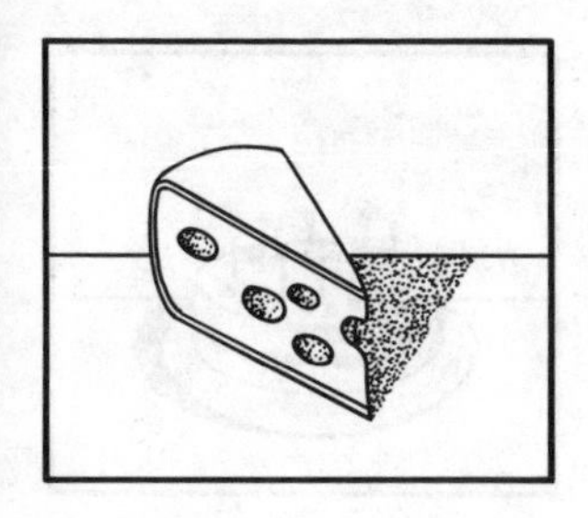

fromage
fromage

fusible
fusible

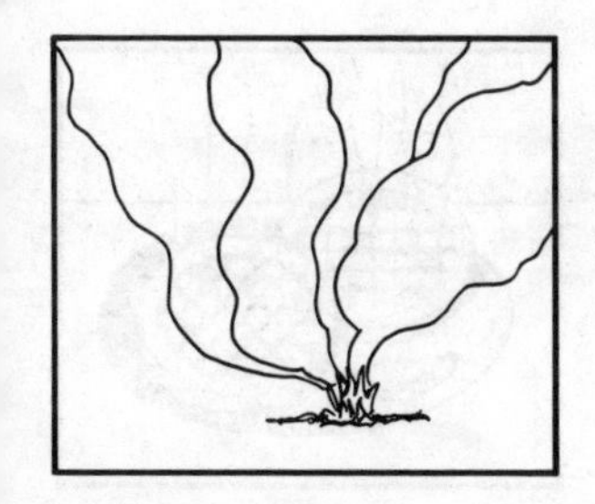

fumée
fumée

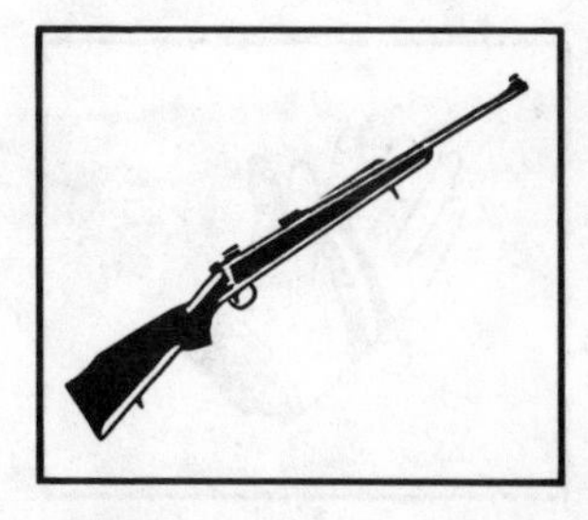

fusil
fusil

garçon

garçon

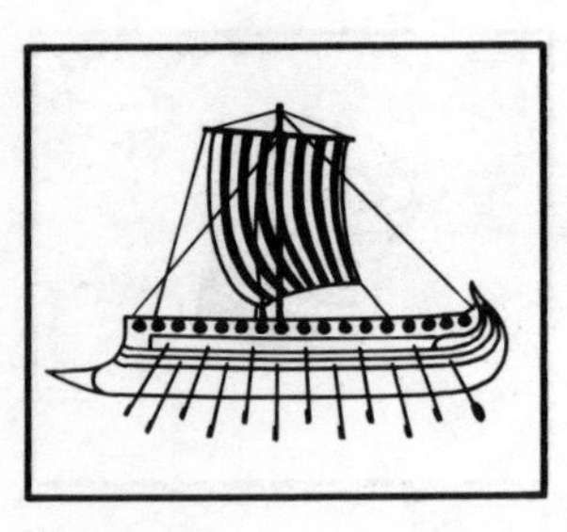

galère

galère

gâteau

gâteau

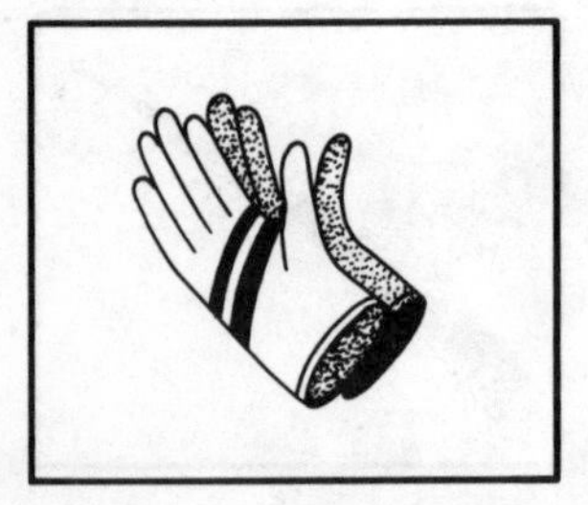

gant

gant

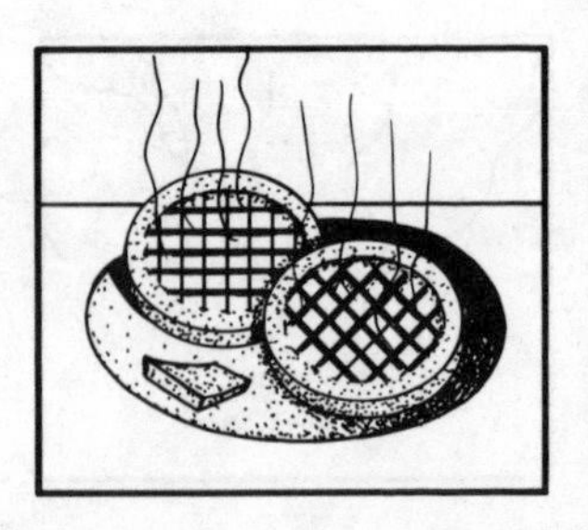

gaufre

gaufre

geai

geai

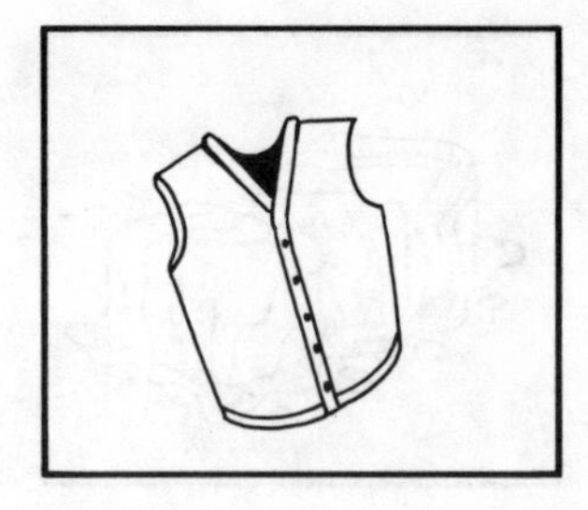

gilet

gilet

géranium

géranium

girafe

girafe

gerbe

gerbe

girouette

girouette

glaçon

glaçon

gondole

gondole

goéland

goéland

gorille

gorille

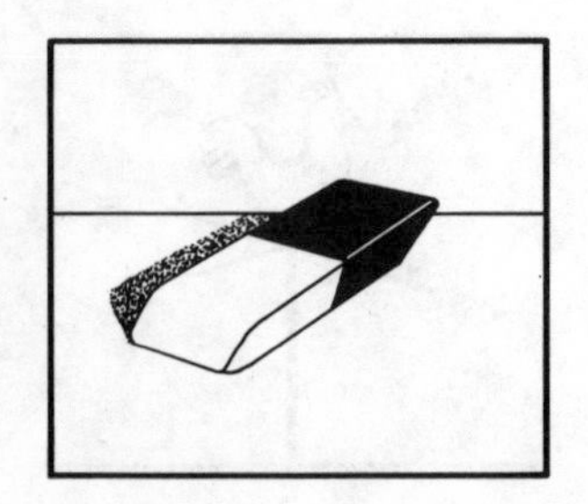

gomme

gomme

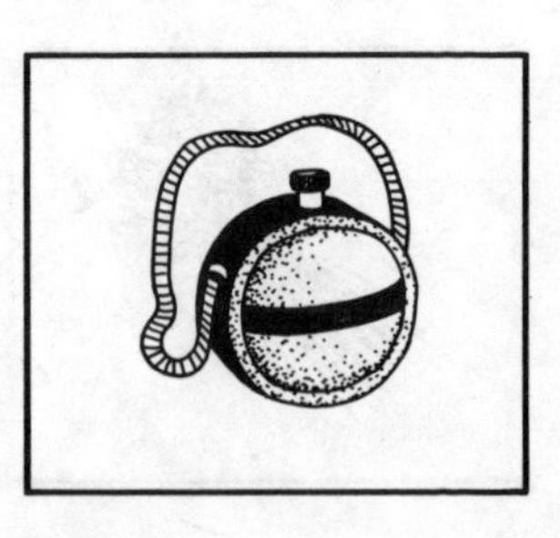

gourde

gourde

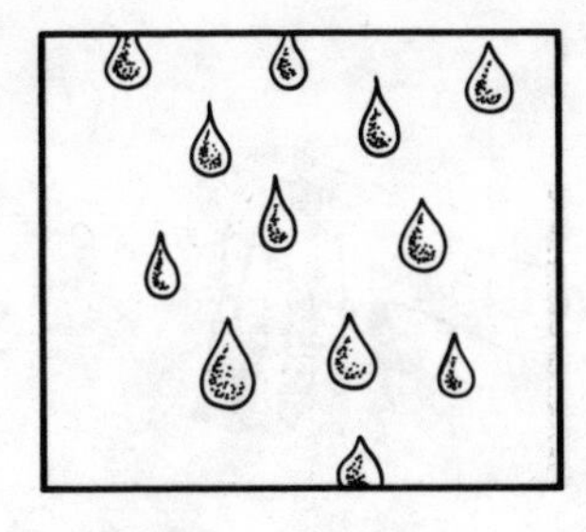

goutte

goutte

grappe

grappe

grand-mère

grand-mère

gratte-ciel

gratte-ciel

grand-père

grand-père

grelot

grelot

grenouille

grenouille

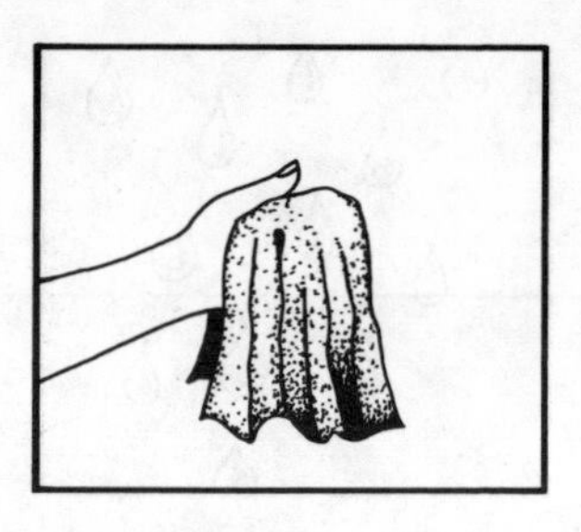

guenille

guenille

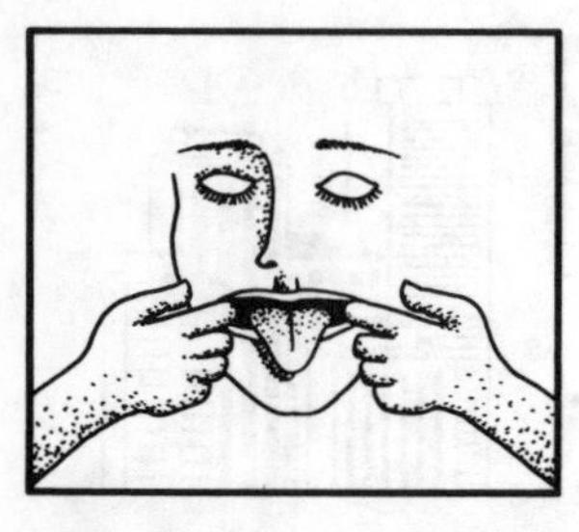

grimace

grimace

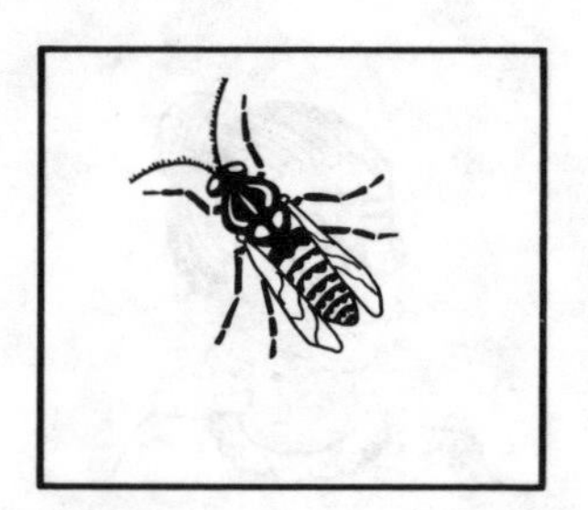

guêpe

guêpe

grue

grue

guitare

guitare

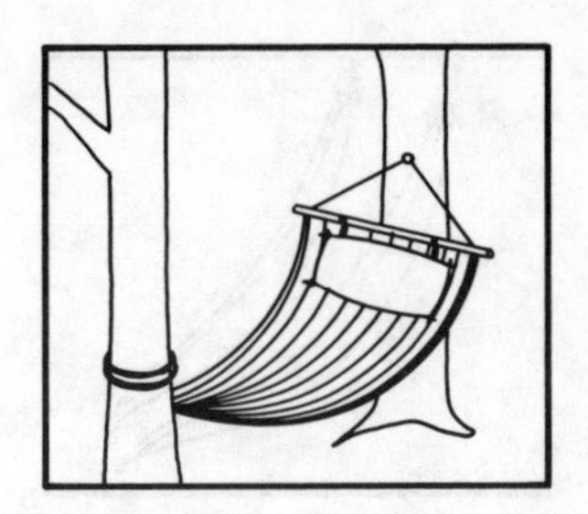

hamac

hamac

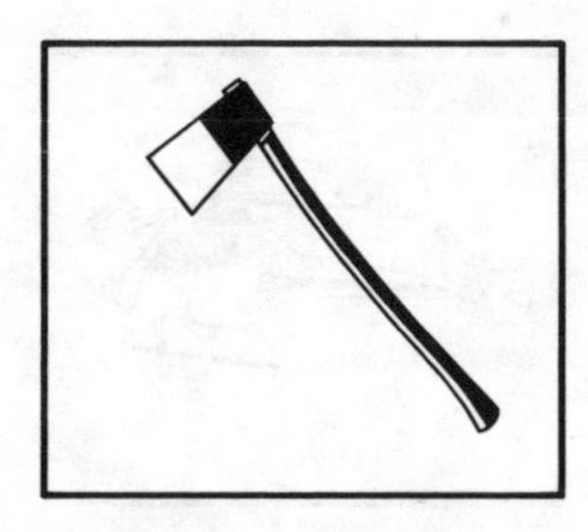

hache

hache

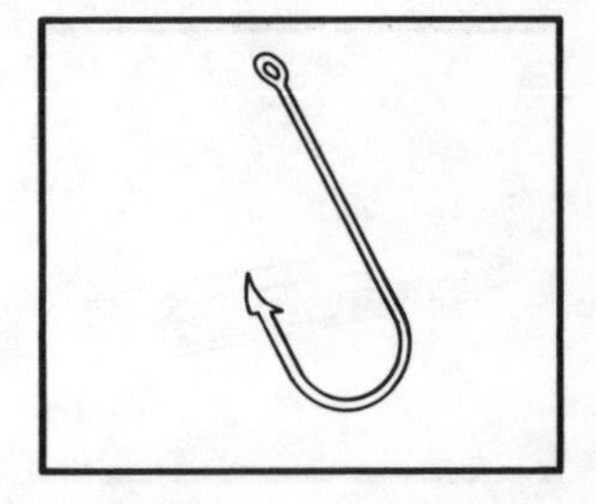

hameçon

hameçon

haie

haie

hareng

hareng

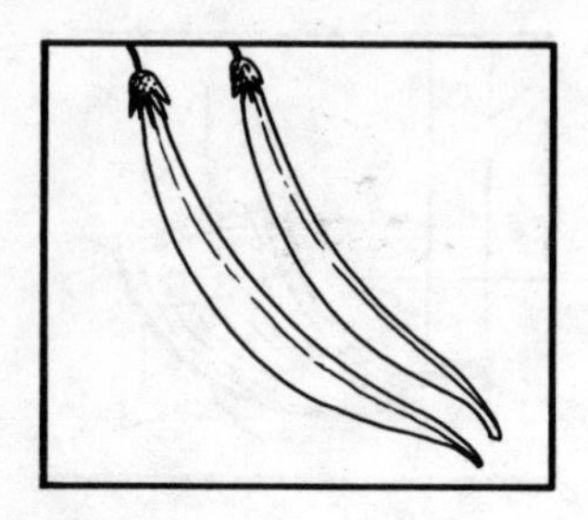

haricot

haricot

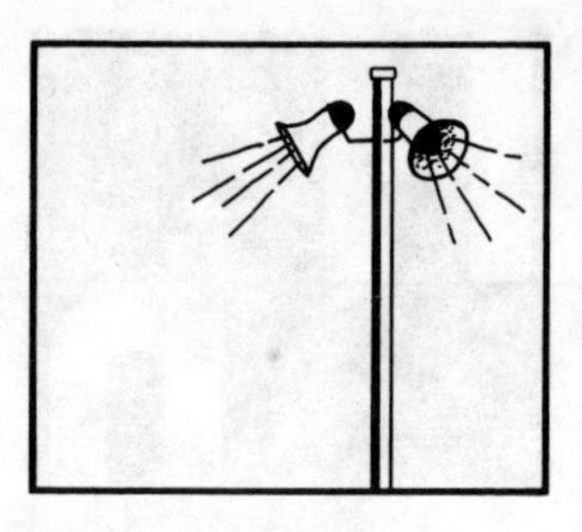

haut-parleur

haut-parleur

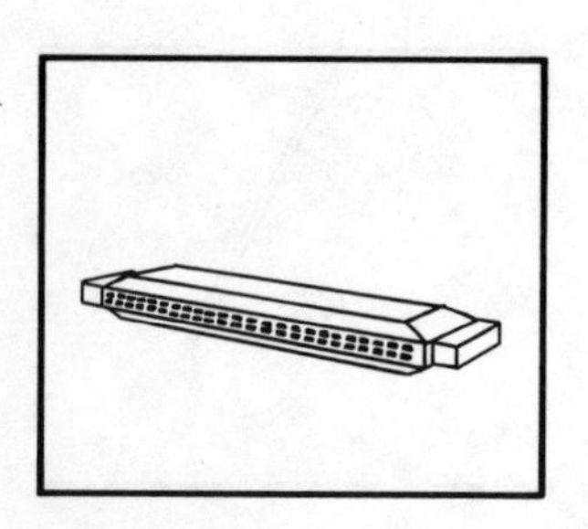

harmonica

harmonica

hélicoptère

hélicoptère

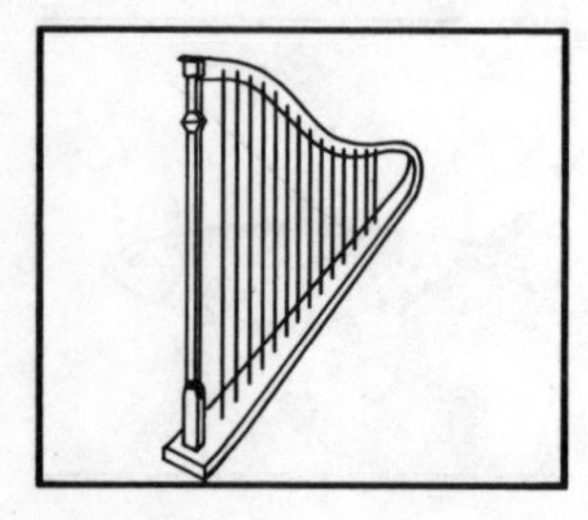

harpe

harpe

héron

héron

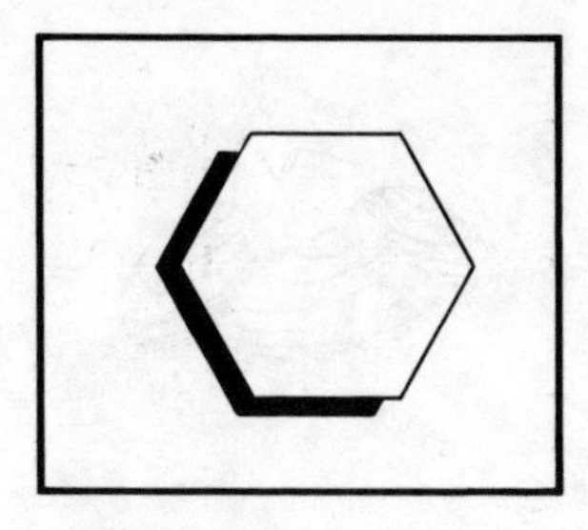

hexagone
hexagone

hirondelle
hirondelle

hibou
hibou

hochet
hochet

hippopotame
hippopotame

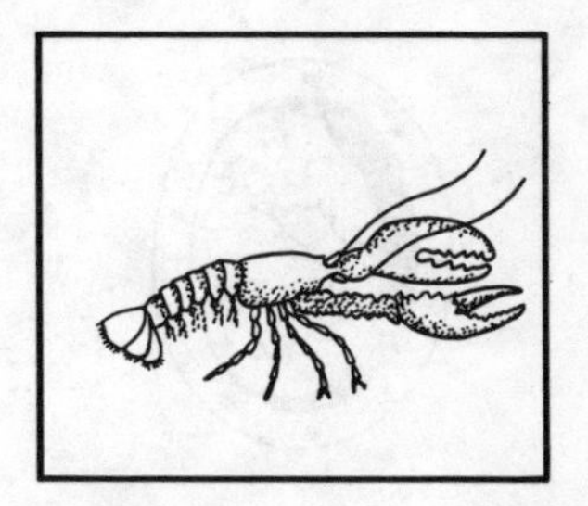

homard
homard

horloge
horloge

huître
huître

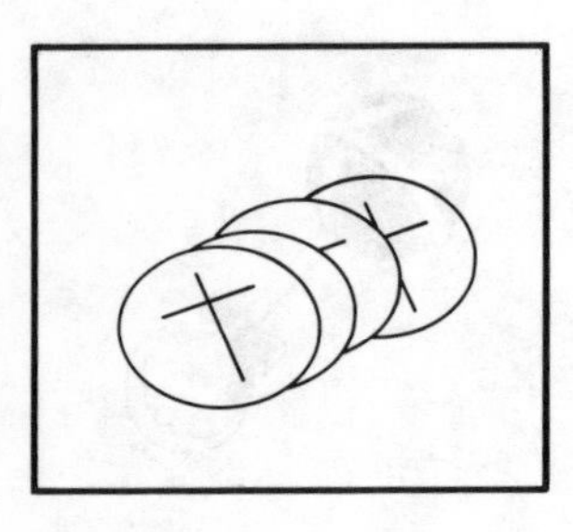

hostie
hostie

hutte
hutte

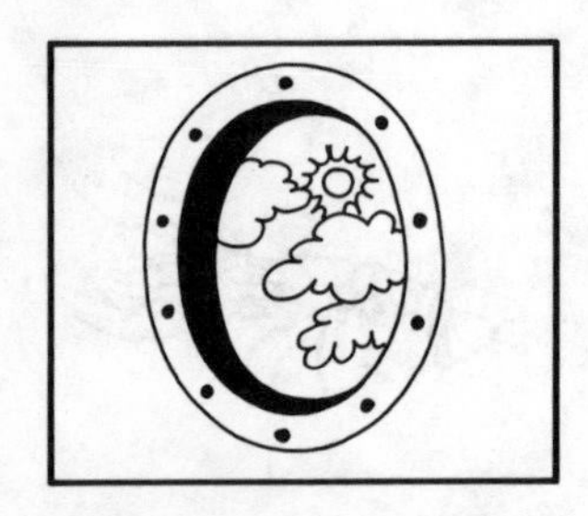

hublot
hublot

hydravion
hydravion

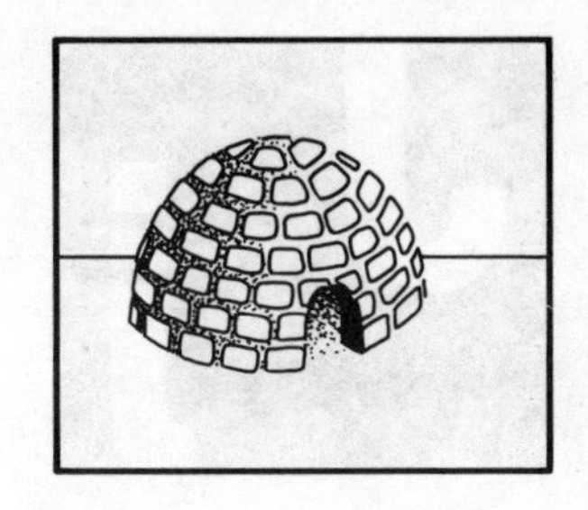

igloo
igloo

iceberg
iceberg

île
île

icône
icône

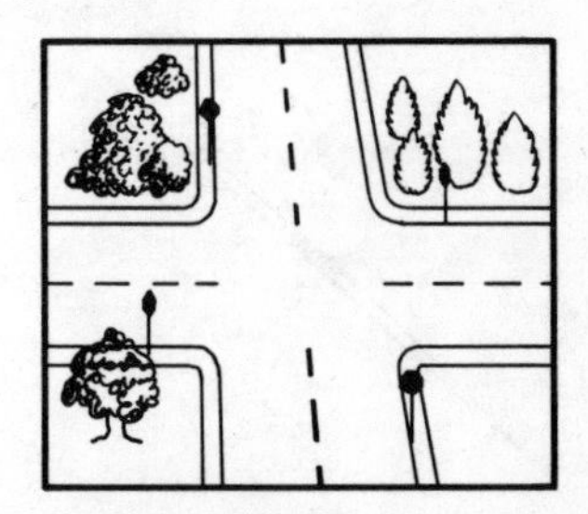

intersection
intersection

jean

jean

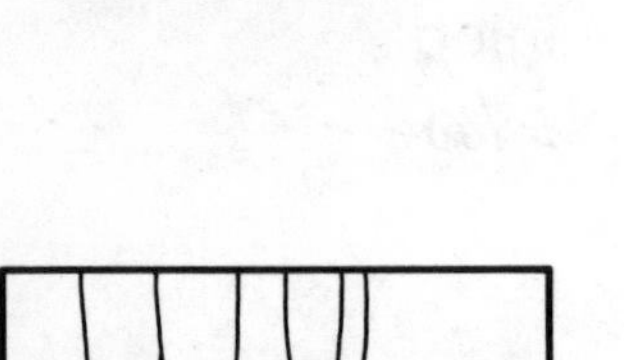

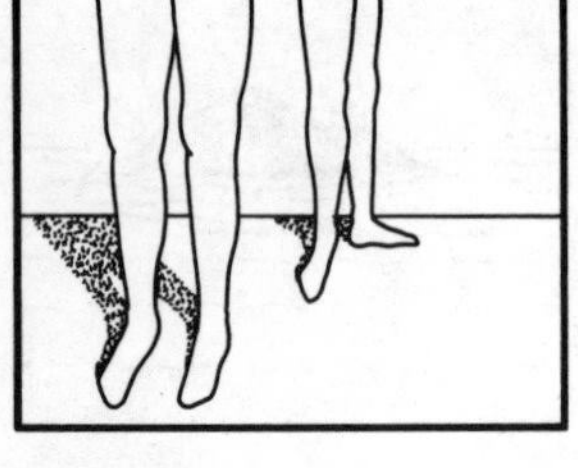

jambe

jambe

jeep

jeep

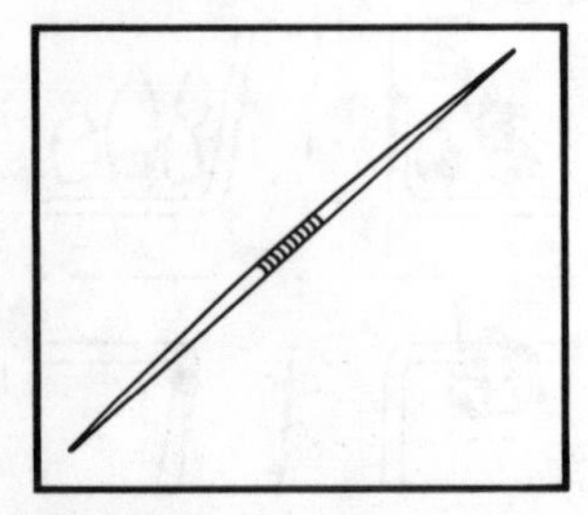

javelot

javelot

joker

joker

jonquille
jonquille

jumelles
jumelles

journal
journal

jupe
jupe

jumeau
jumeau

jus
jus

képi

képi

kangourou

kangourou

kiosque

kiosque

kayak

kayak

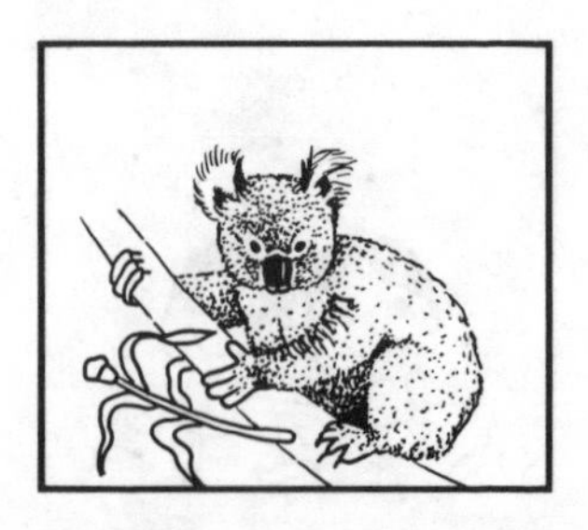

koala

koala

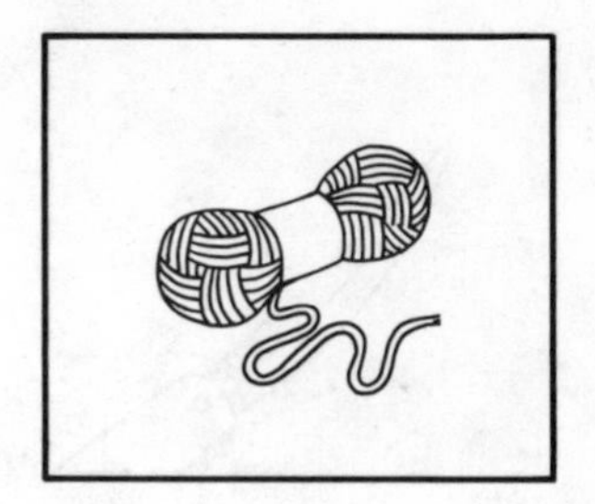

laine
laine

labyrinthe
labyrinthe

laitue
laitue

lacet
lacet

lama
lama

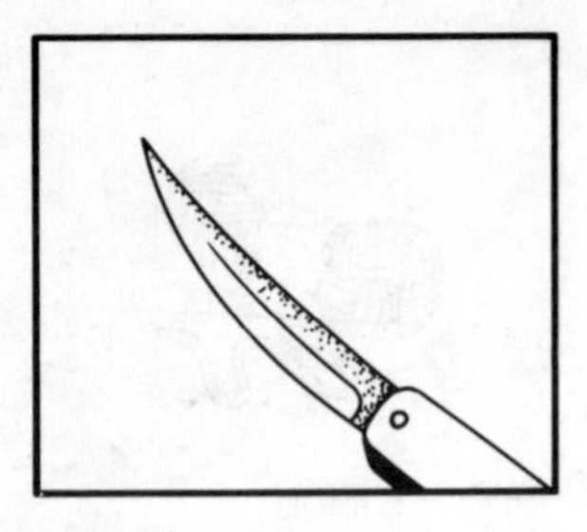

lame
lame

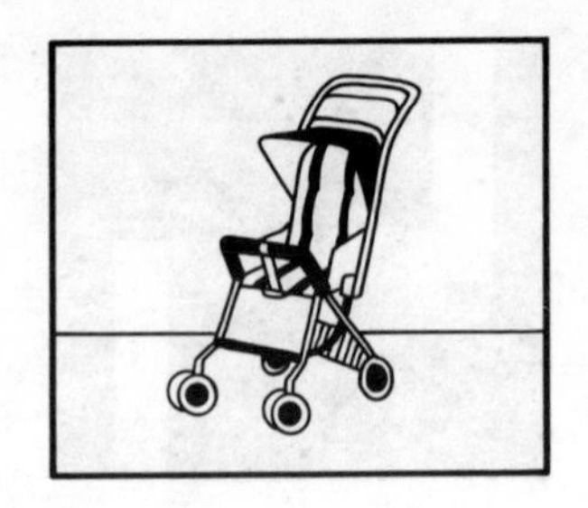

landau
landau

lampadaire
lampadaire

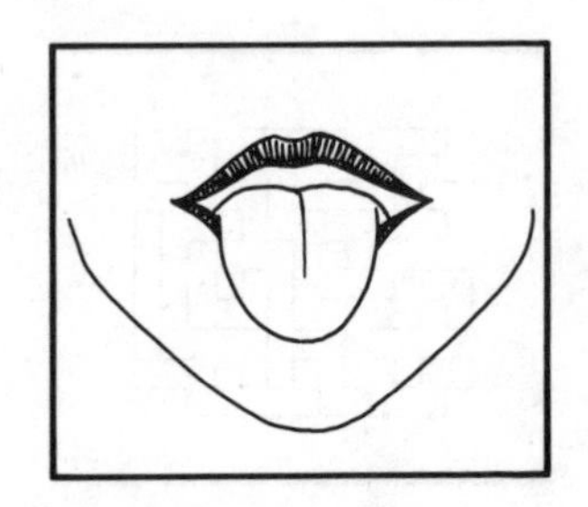

langue
langue

lampion
lampion

lanterne
lanterne

lapin
lapin

lavabo
lavabo

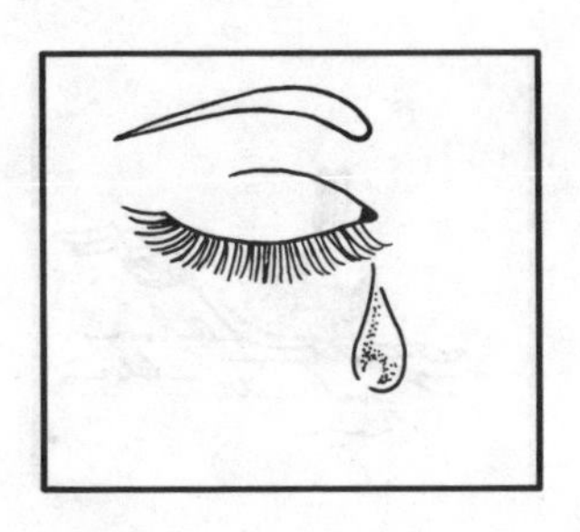

larme
larme

léopard
léopard

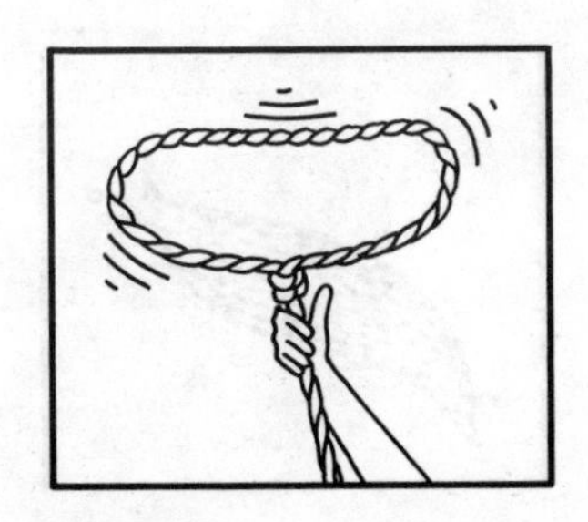

lasso
lasso

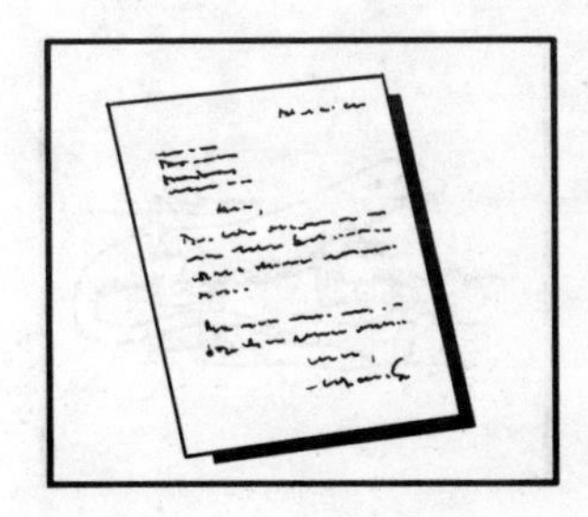

lettre
lettre

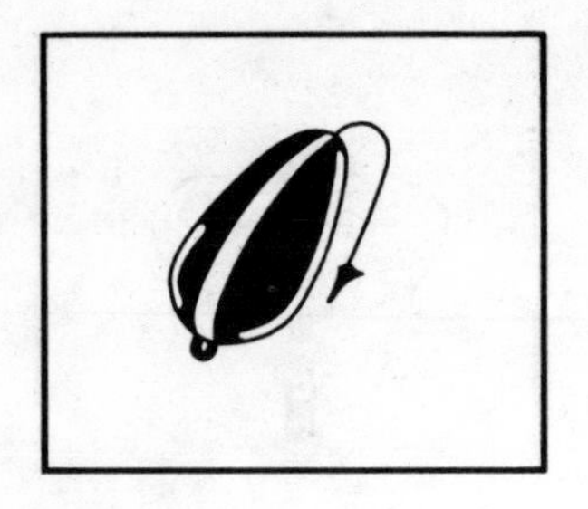

leurre
leurre

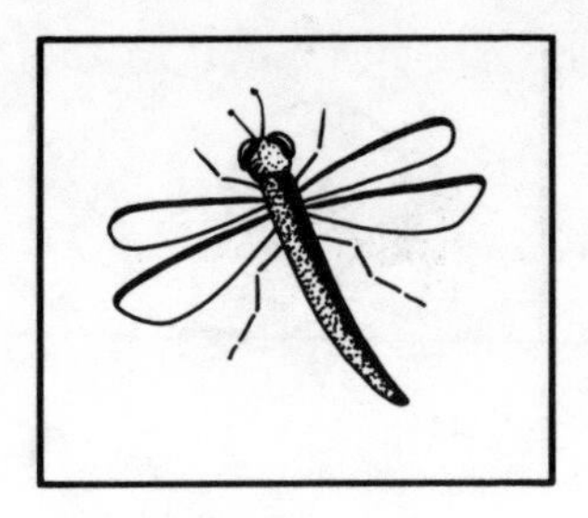

libellule
libellule

lèvre
lèvre

lièvre
lièvre

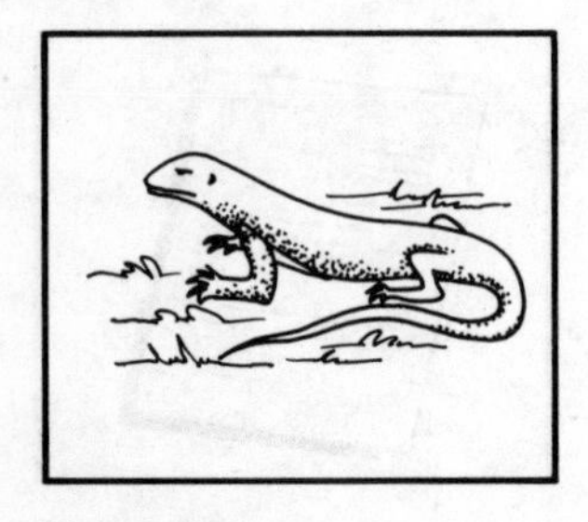

lézard
lézard

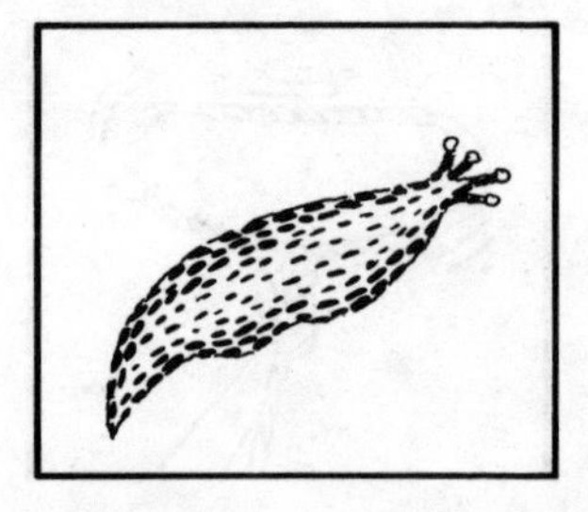

limace
limace

lion
lion

lit
lit

livre
livre

locomotive
locomotive

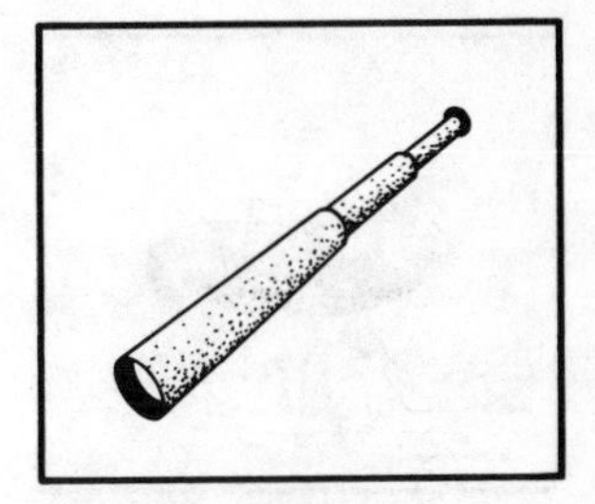

longue-vue
longue-vue

losange
losange

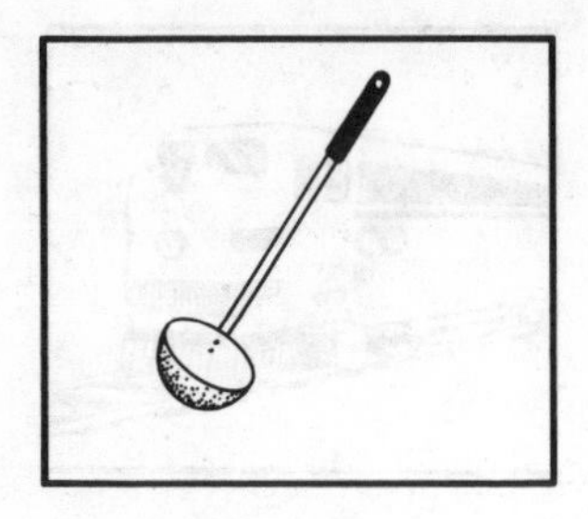

louche
louche

loup
loup

loupe
loupe

loutre
loutre

luge
luge

lune
lune

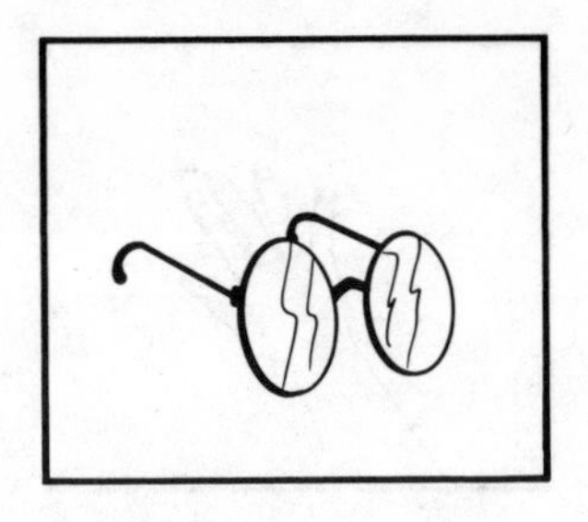

lunette
lunette

lutin
lutin

lutrin
lutrin

lynx
lynx

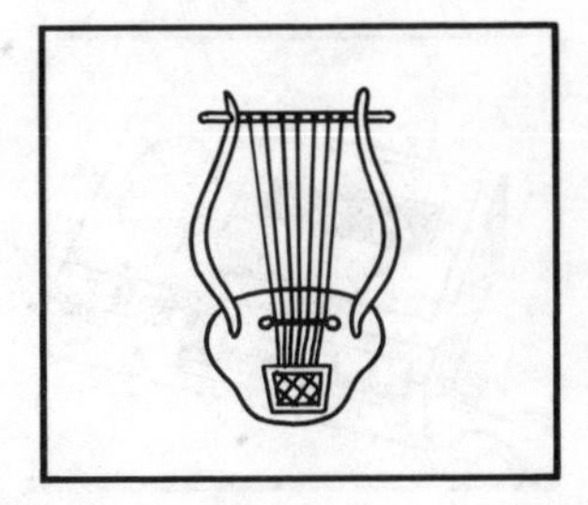

lyre
lyre

lys
lys

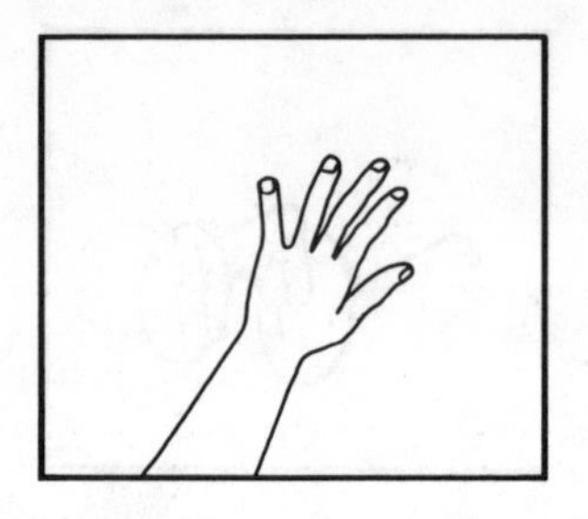

main

main

magnétophone

magnétophone

maison

maison

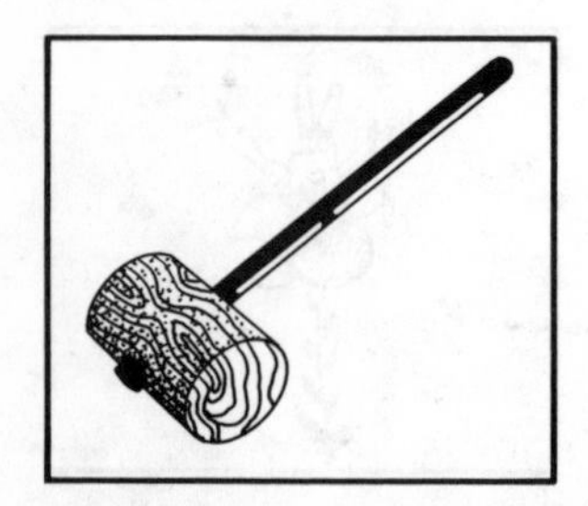

maillet

maillet

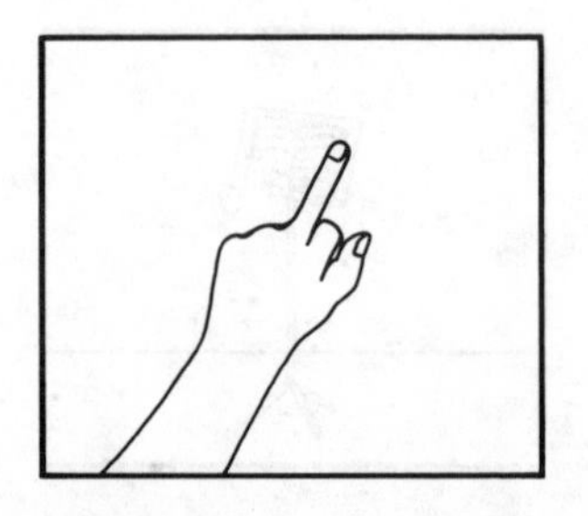

majeur

majeur

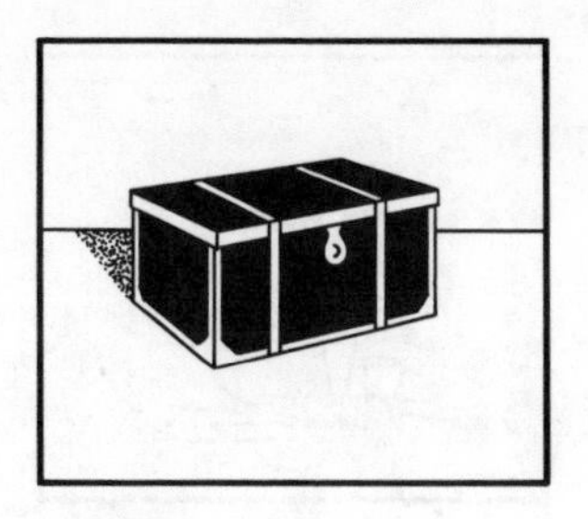

malle

malle

manège

manège

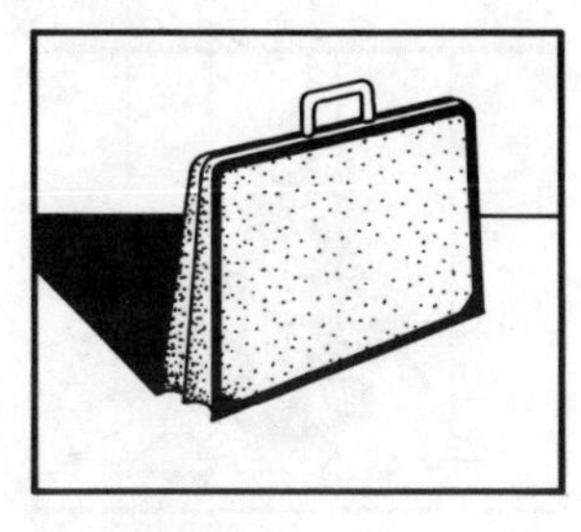

mallette

mallette

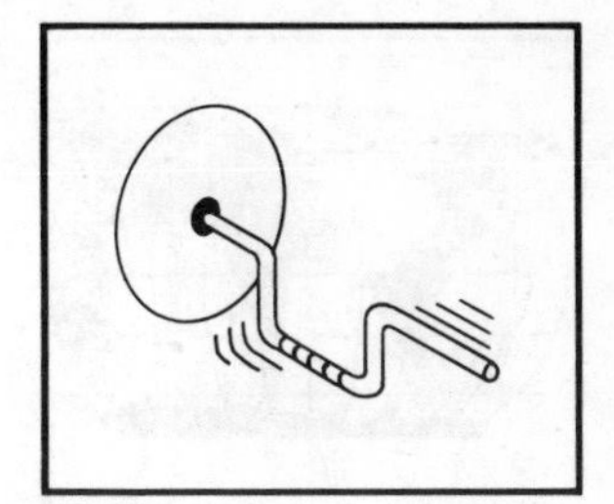

manivelle

manivelle

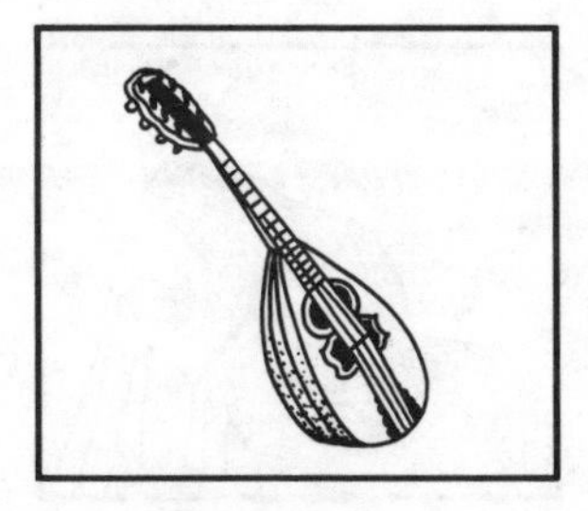

mandoline

mandoline

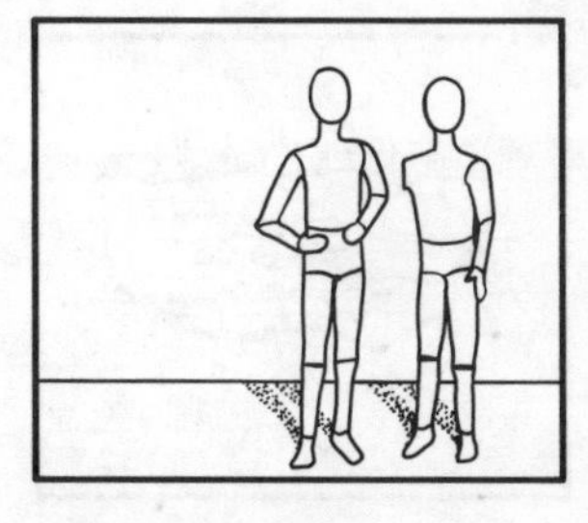

mannequin

mannequin

manuscrit
manuscrit

marguerite
marguerite

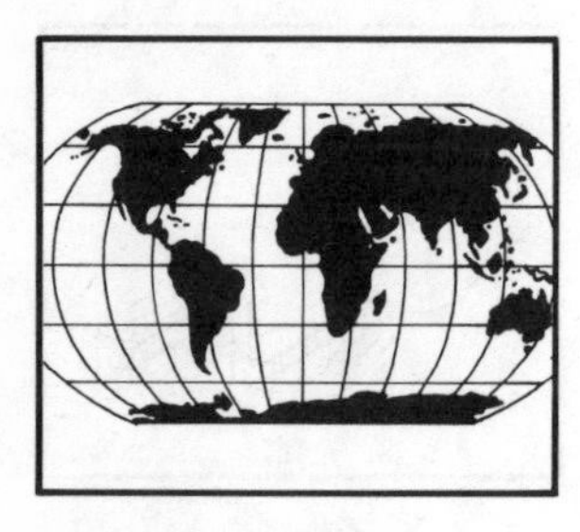

mappemonde
mappemonde

marionnette
marionnette

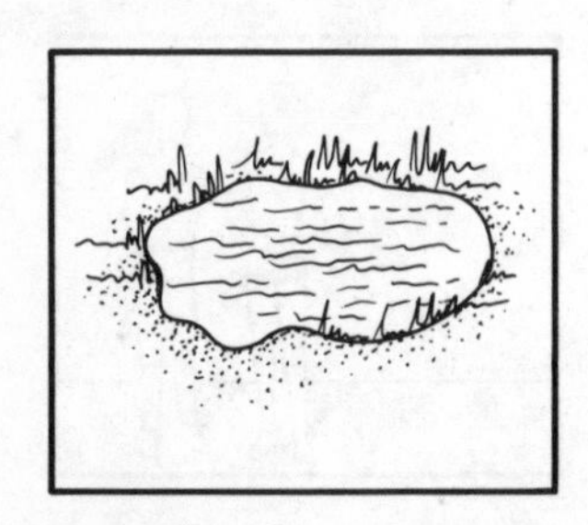

mare
mare

marmotte
marmotte

marteau

marteau

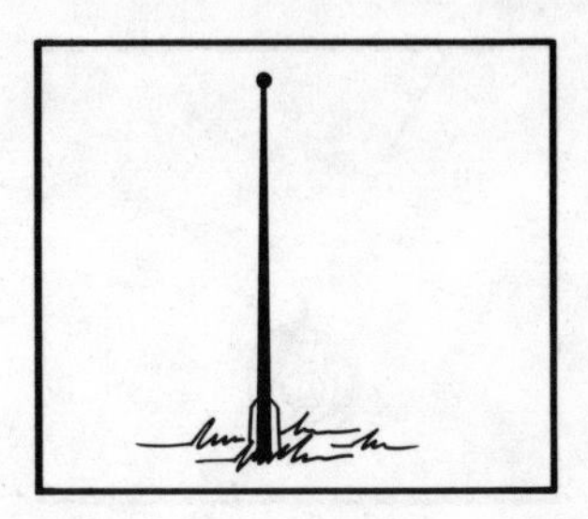

mât

mât

masque

masque

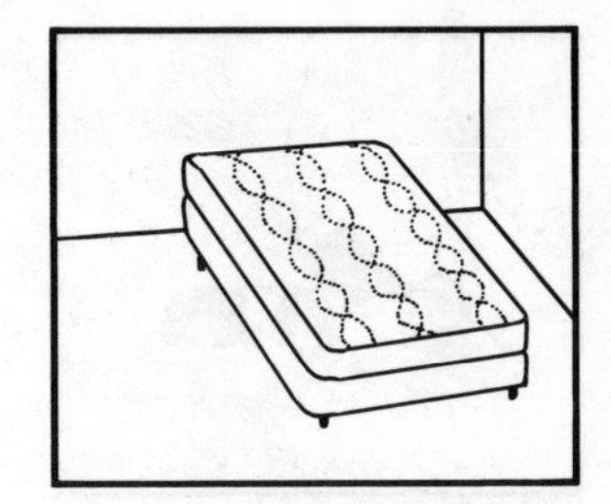

matelas

matelas

masse

masse

matraque

matraque

médaille
médaille

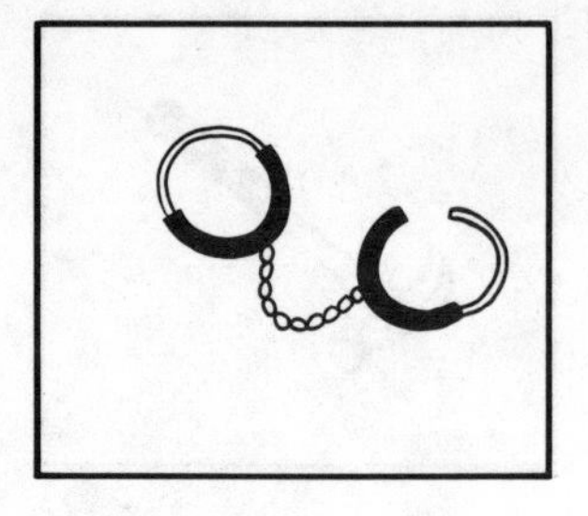

menottes
menottes

mégot
mégot

merle
merle

melon
melon

mésange
mésange

métro

métro

mi

mi

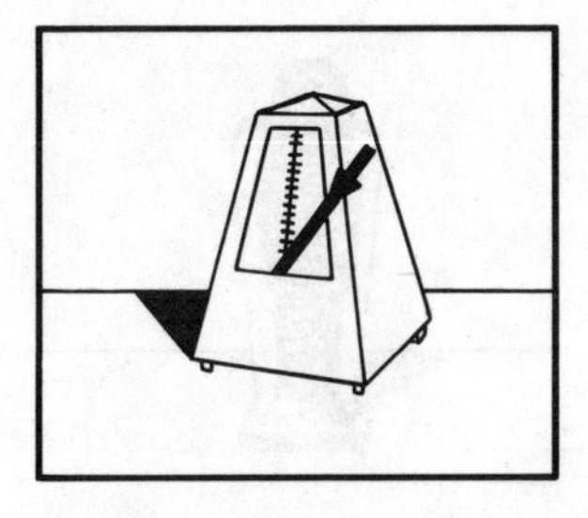

métronome

métronome

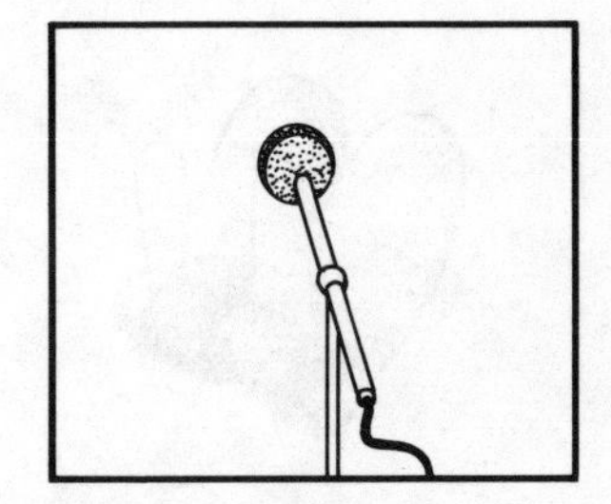

microphone

microphone

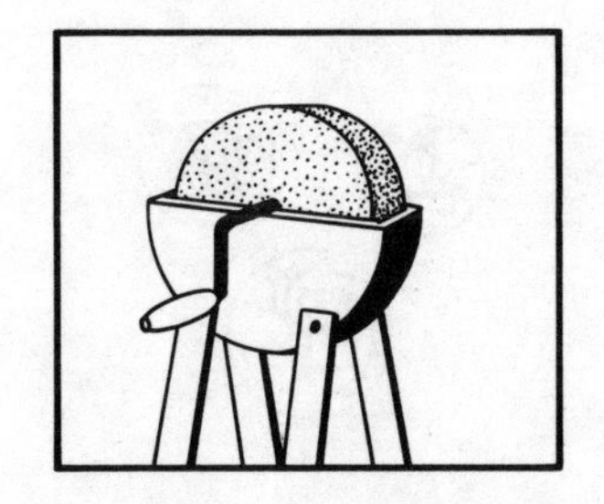

meule

meule

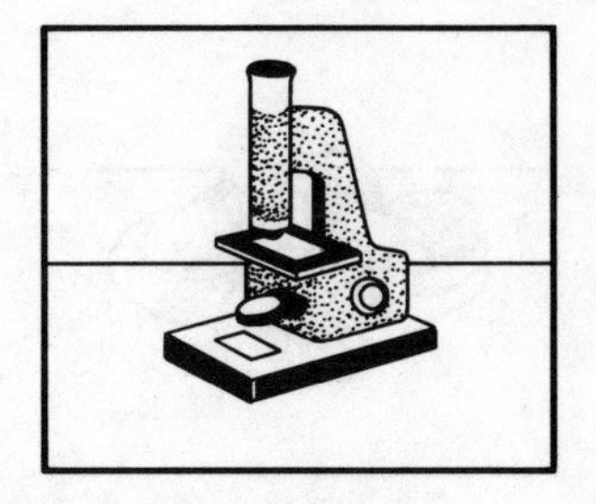

microscope

microscope

miroir

miroir

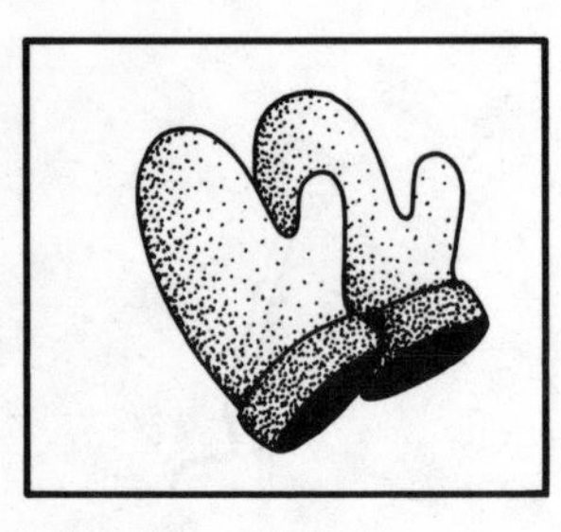

mitaine

mitaine

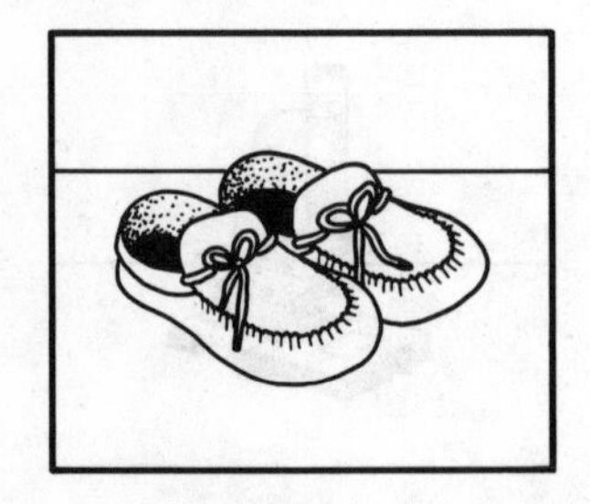

mocassin

mocassin

moineau

moineau

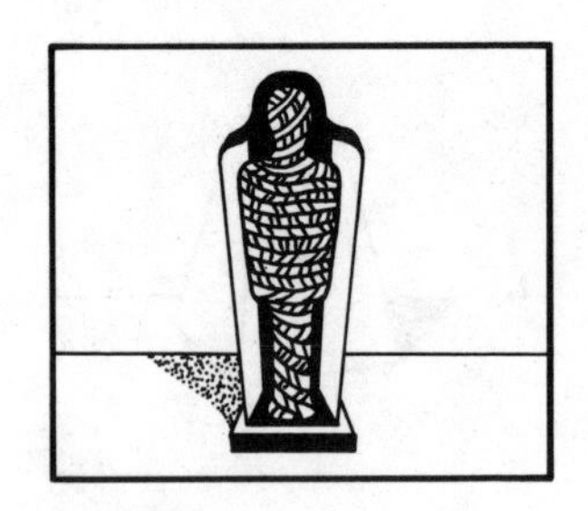

momie

momie

monnaie

monnaie

monocle
monocle

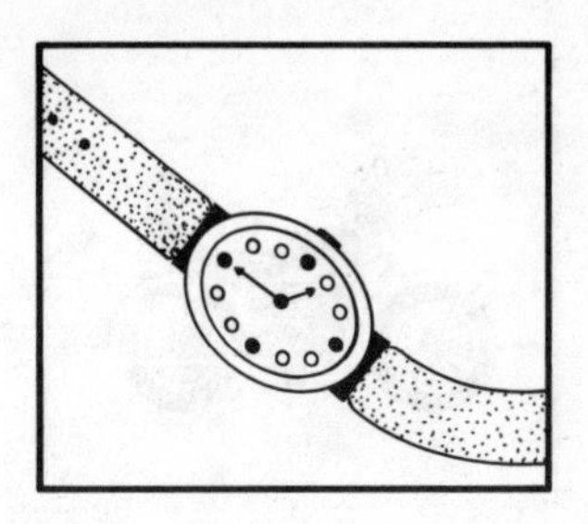

montre
montre

montagne
montagne

morse
morse

montgolfière
montgolfière

morue
morue

motocyclette
motocyclette

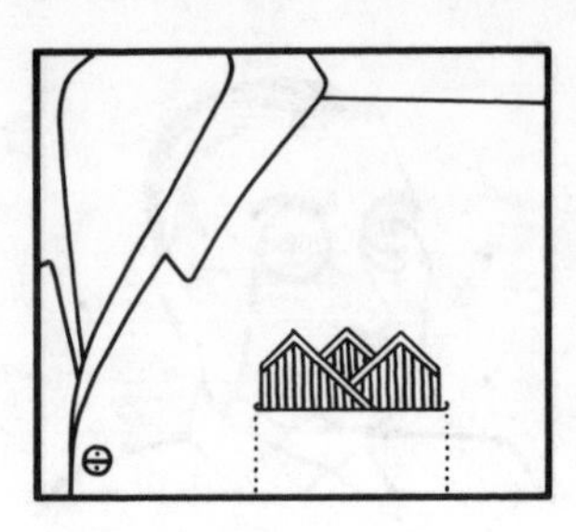

mouchoir
mouchoir

motoneige
motoneige

mouette
mouette

mouche
mouche

moufette
moufette

moule
moule

mouton
mouton

moulinet
moulinet

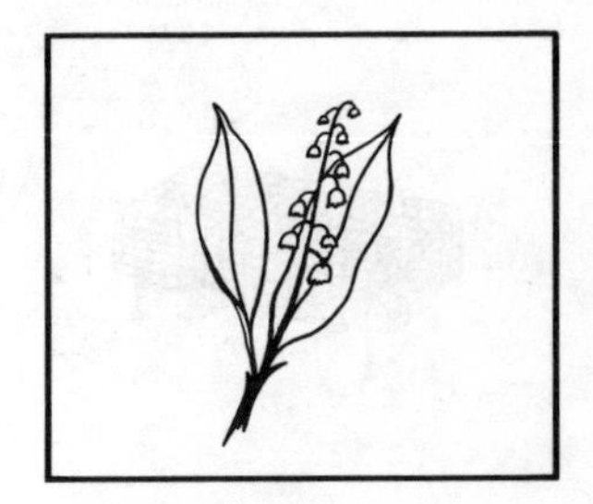

muguet
muguet

moustache
moustache

mur
mur

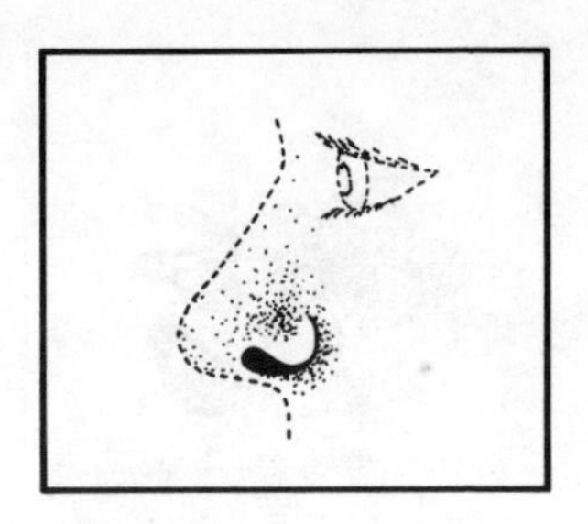

narine

narine

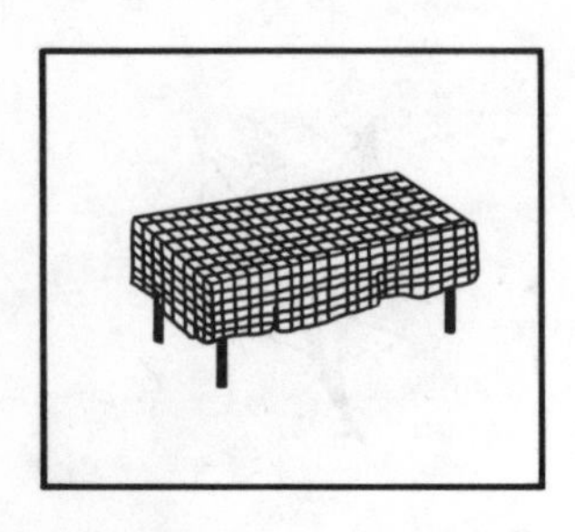

nappe

nappe

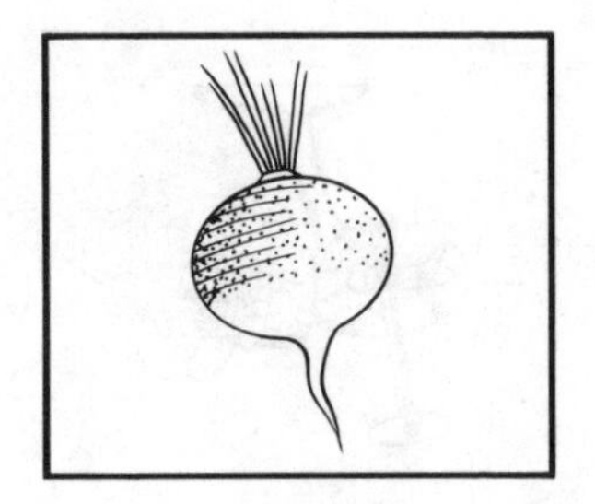

navet

navet

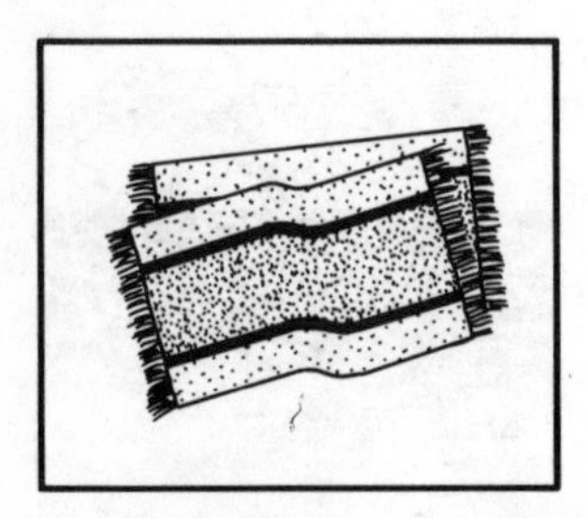

napperon

napperon

nénuphar

nénuphar

niche

niche

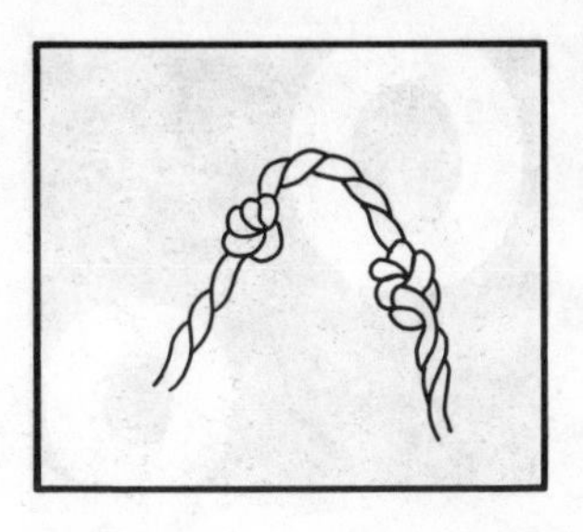

nœud

nœud

nid

nid

noix

noix

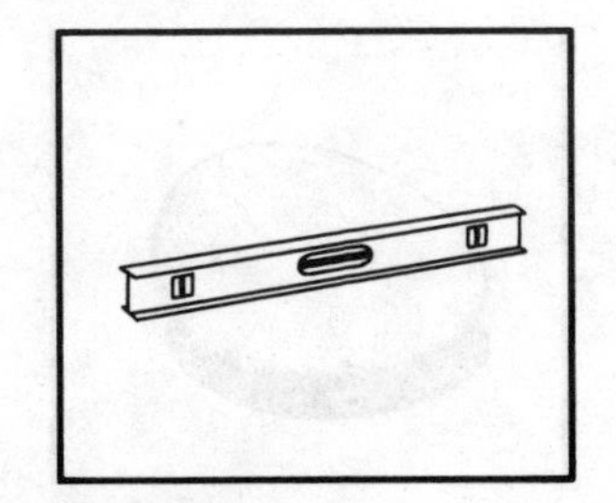

niveau

niveau

nuage

nuage

œillère
œillère

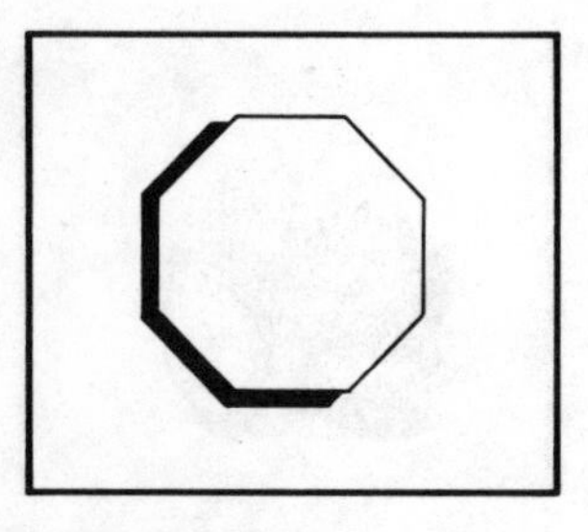

octogone
octogone

œillet
œillet

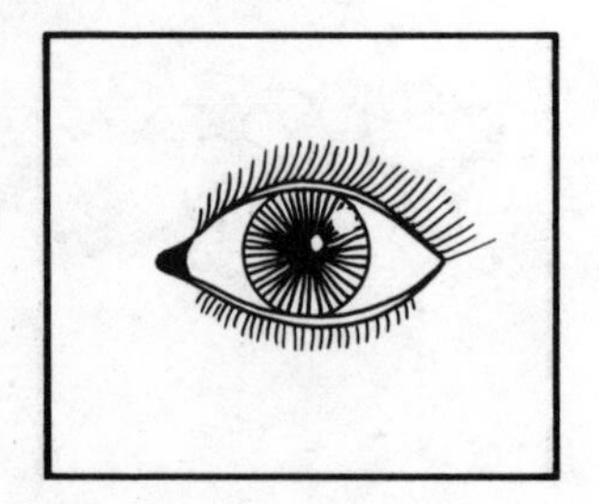

œil
œil

œuf
œuf

oie

oie

ombrelle

ombrelle

oignon

oignon

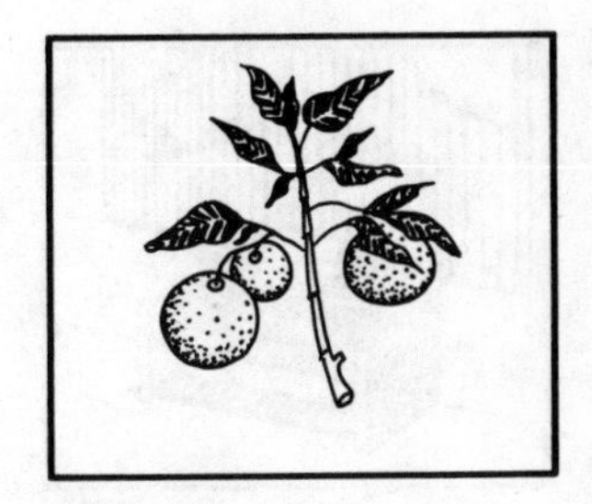

orange

orange

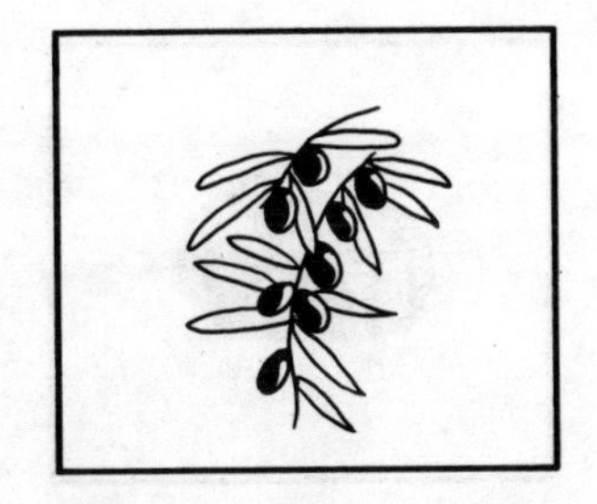

olive

olive

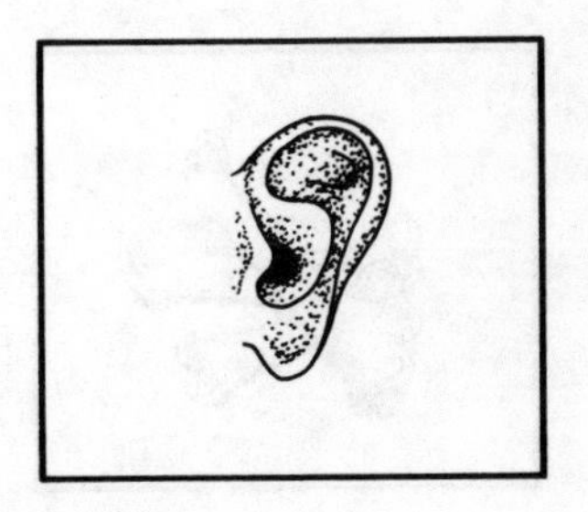

oreille

oreille

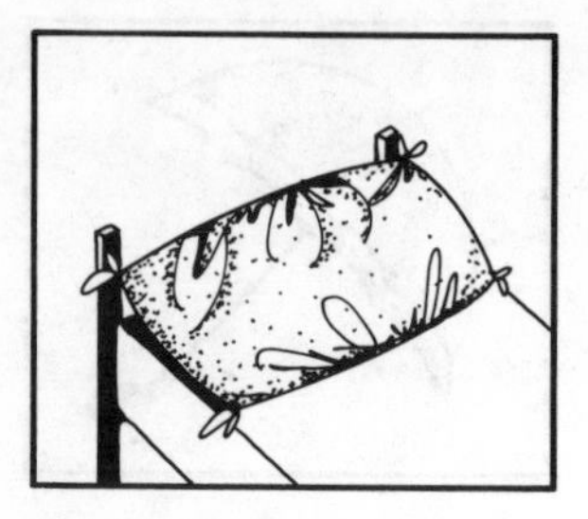

oreiller

oreiller

otarie

otarie

orgue

orgue

ours

ours

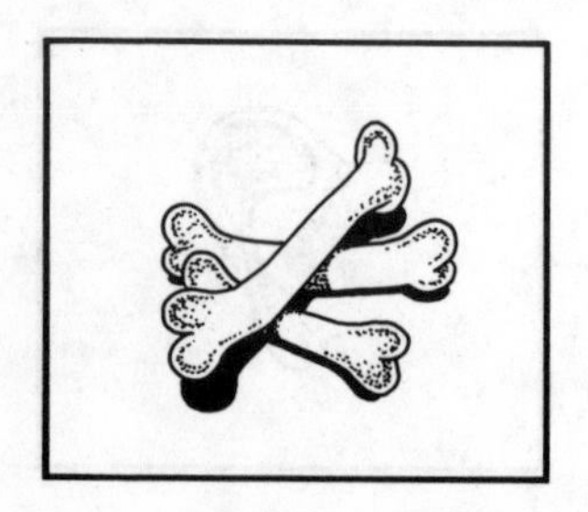

os

os

oursin

oursin

palmier

palmier

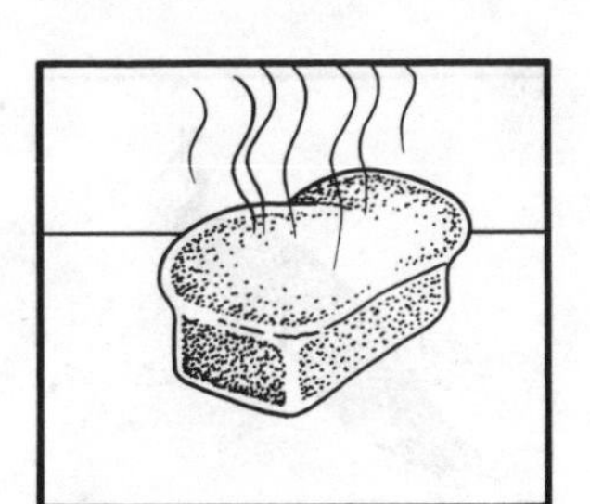

pain

pain

pamplemousse

pamplemousse

palette

palette

pancarte

pancarte

panier

panier

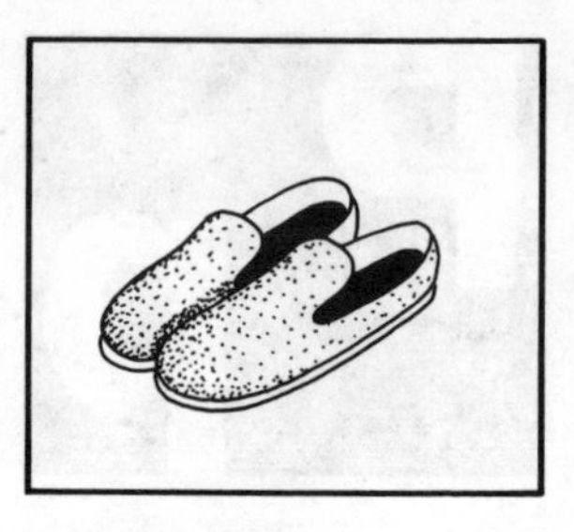

pantoufle

pantoufle

pantalon

pantalon

paon

paon

panthère

panthère

papillon

papillon

parachute

parachute

parapluie

parapluie

parasol

parasol

paravent

paravent

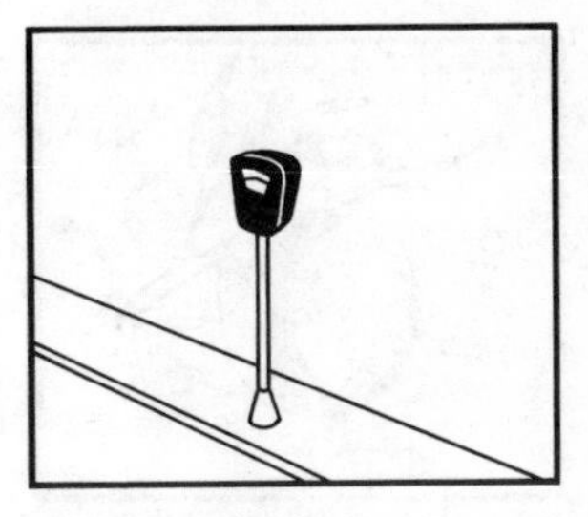

parcomètre

parcomètre

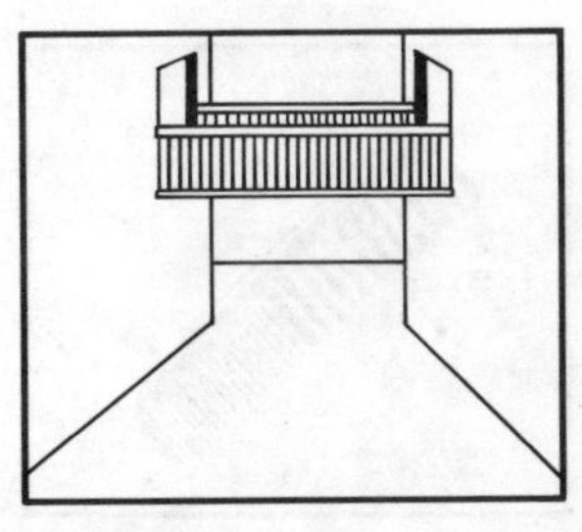

passerelle

passerelle

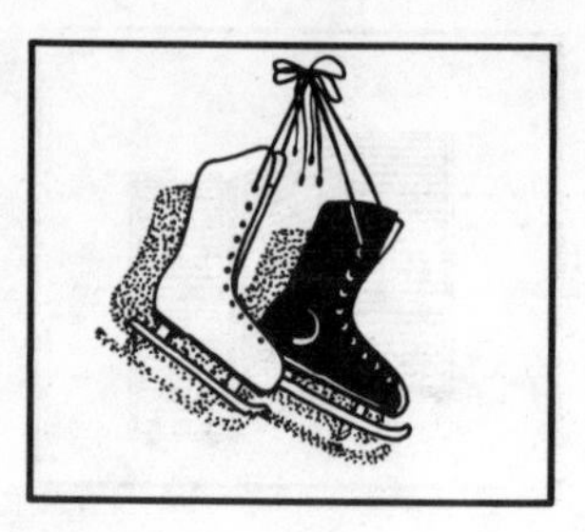

patin

patin

pélican

pélican

pêche

pêche

pelle

pelle

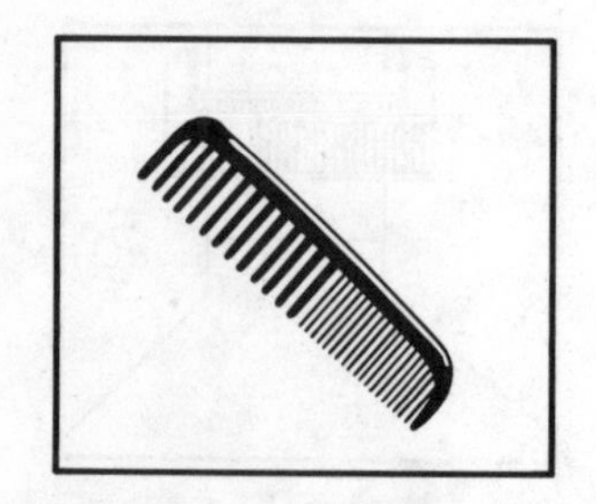

peigne

peigne

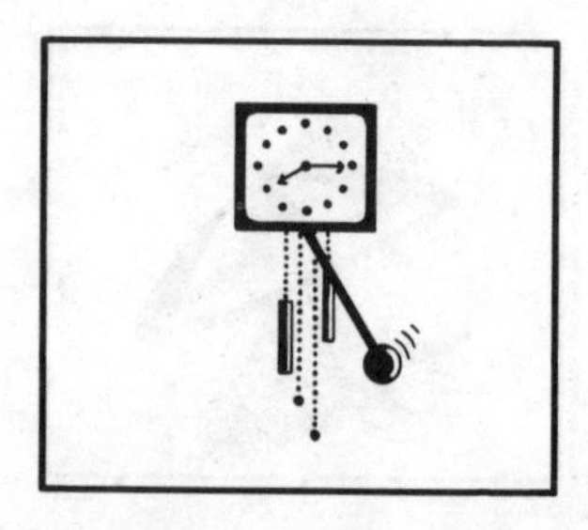

pendule

pendule

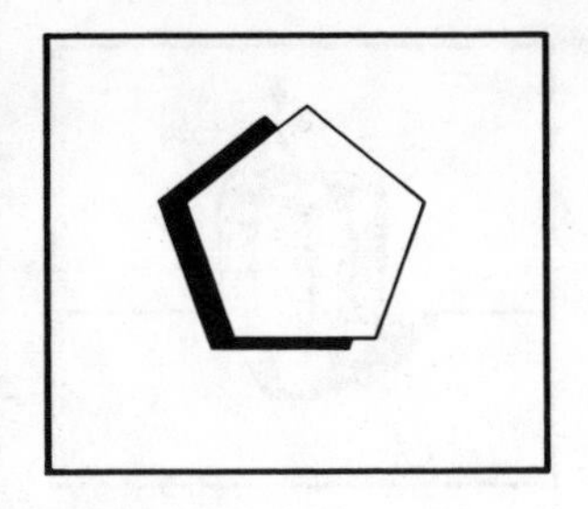

pentagone

pentagone

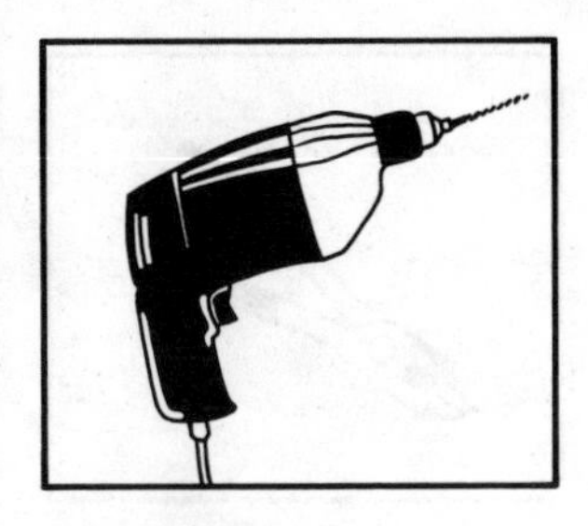

perceuse

perceuse

perroquet

perroquet

phare

phare

phoque

phoque

photographie

photographie

piano

piano

piment

piment

pieuvre

pieuvre

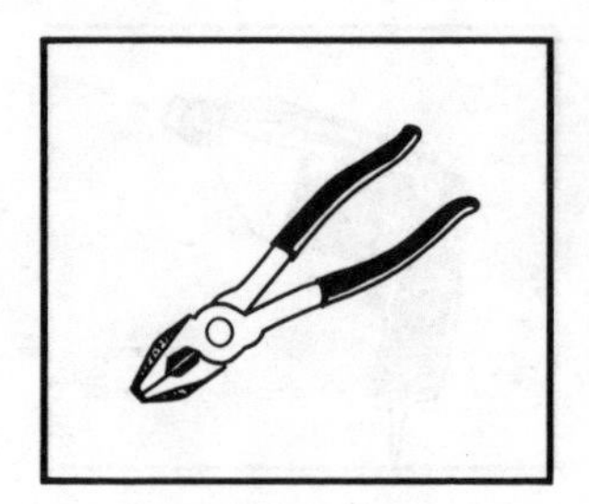

pince

pince

pigeon

pigeon

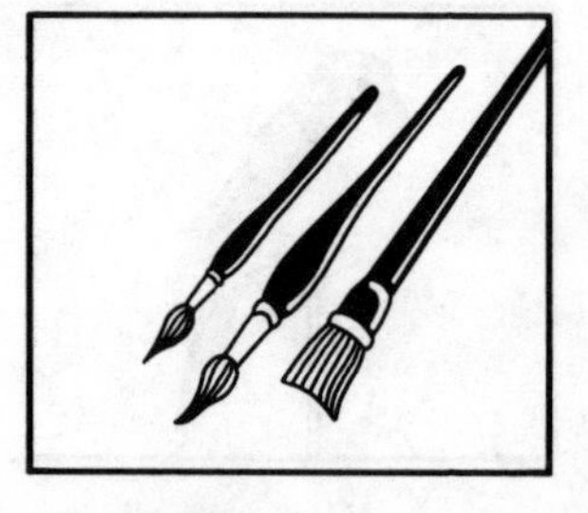

pinceau

pinceau

pingouin

pingouin

piquet

piquet

pinson

pinson

piscine

piscine

pipe

pipe

pissenlit

pissenlit

pneu

pneu

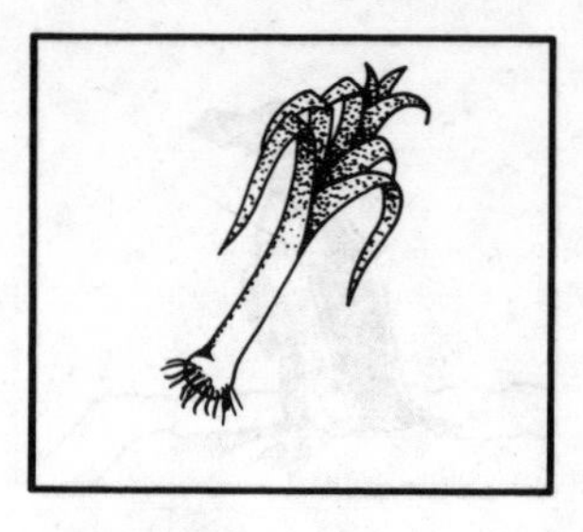

poireau

poireau

poêle

poêle

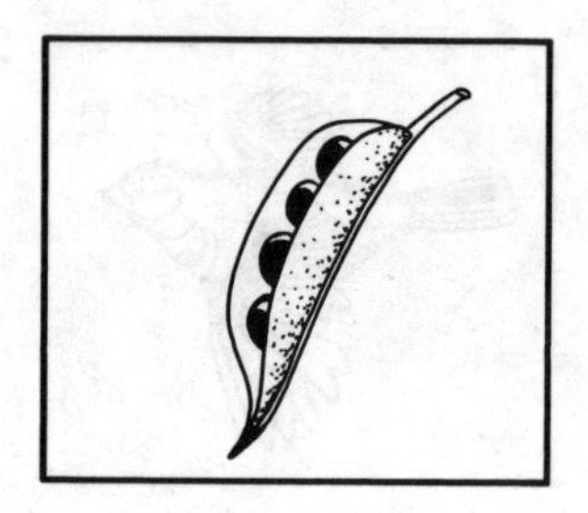

pois

pois

poire

poire

pomme

pomme

pomme de terre
pomme de terre

porc-épic
porc-épic

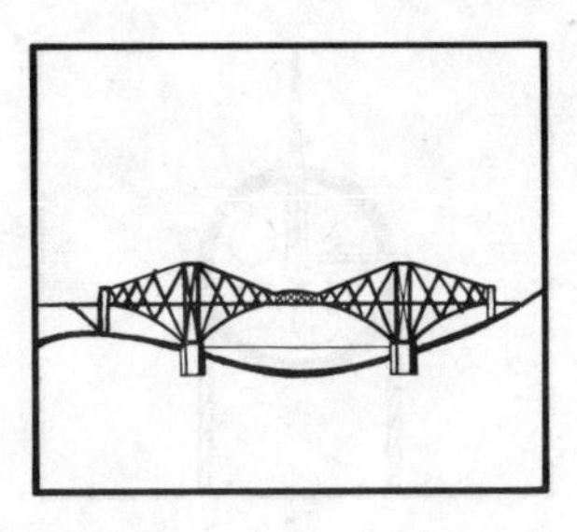

pont
pont

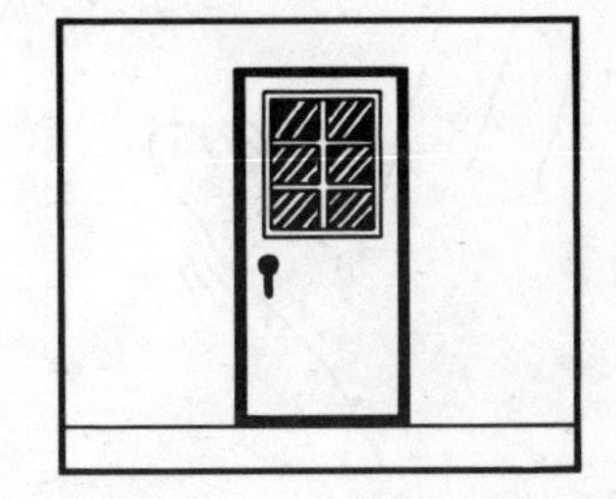

porte
porte

porc
porc

pot
pot

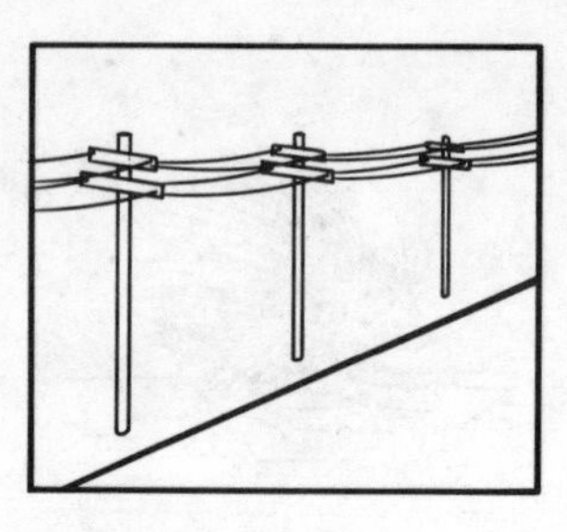

poteau
poteau

poule
poule

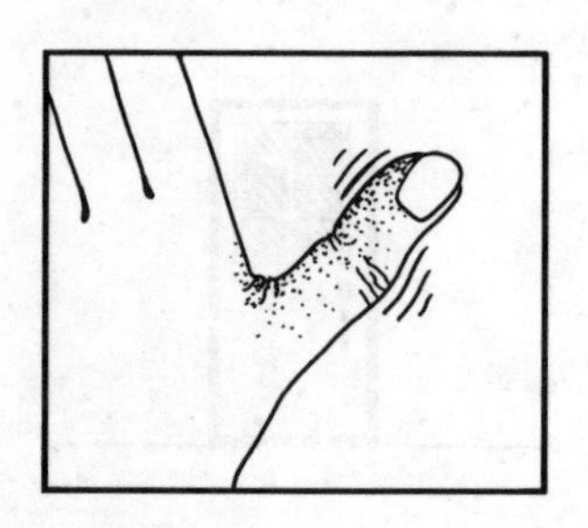

pouce
pouce

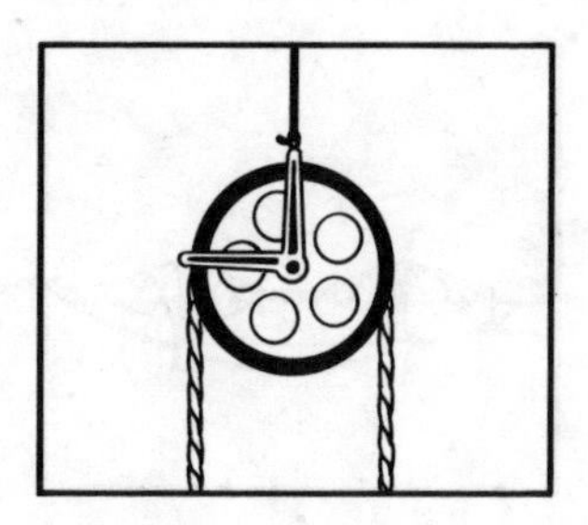

poulie
poulie

poulain
poulain

poupée
poupée

poussin

poussin

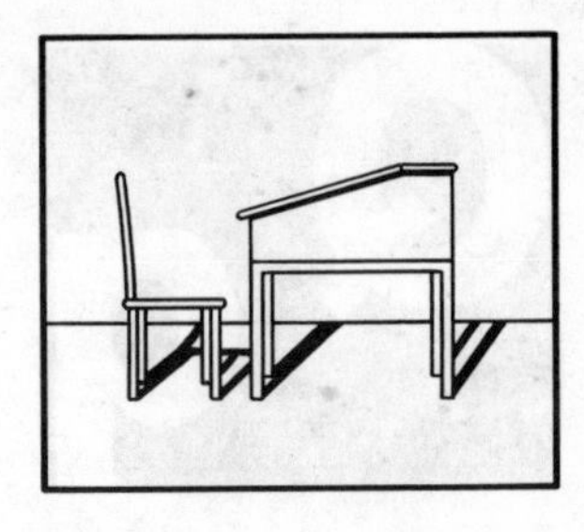

pupitre

pupitre

prune

prune

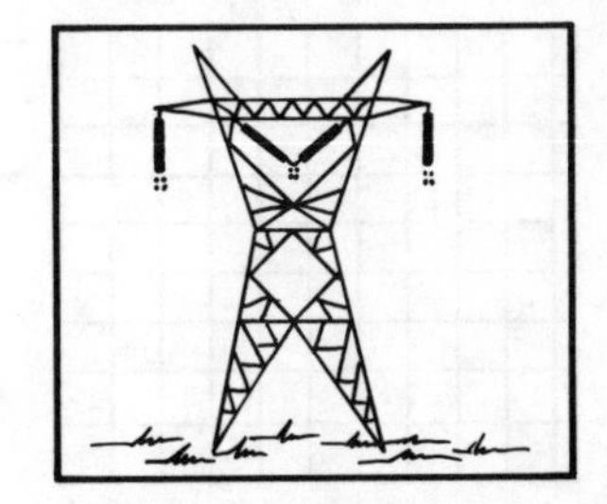

pylône

pylône

puits

puits

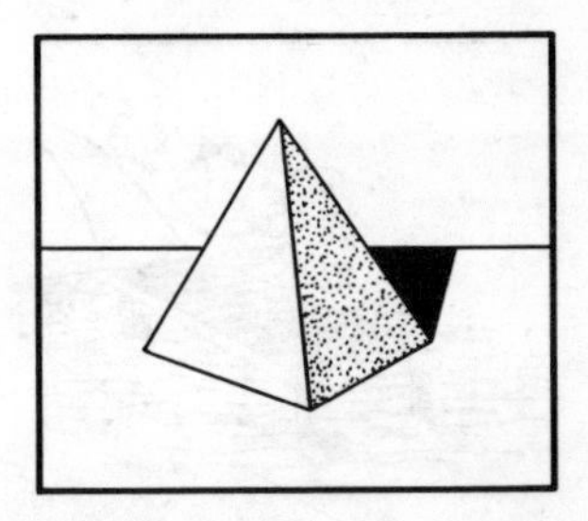

pyramide

pyramide

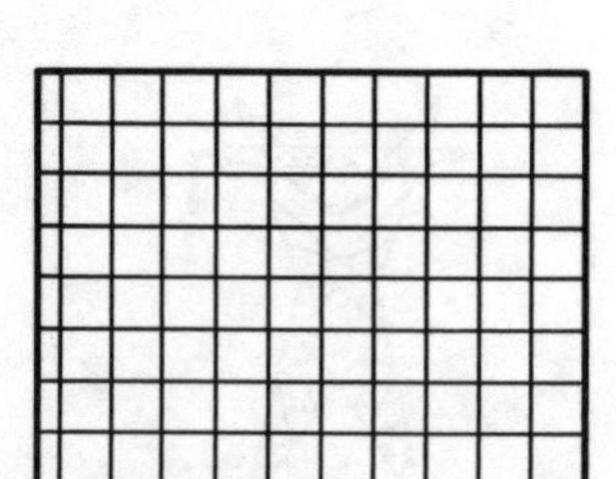

quadrillage

quadrillage

quai

quai

quenouille

quenouille

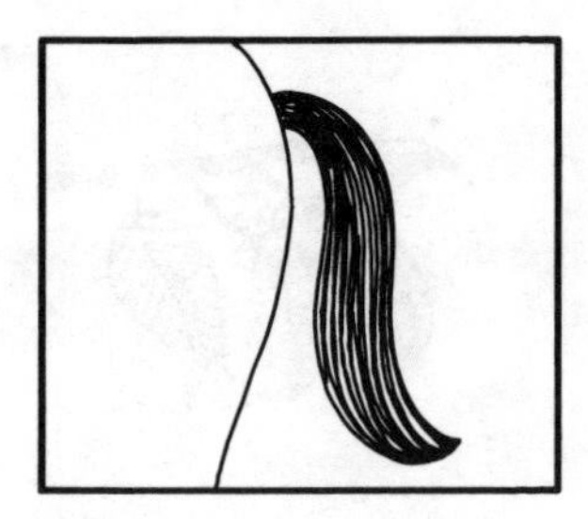

queue

queue

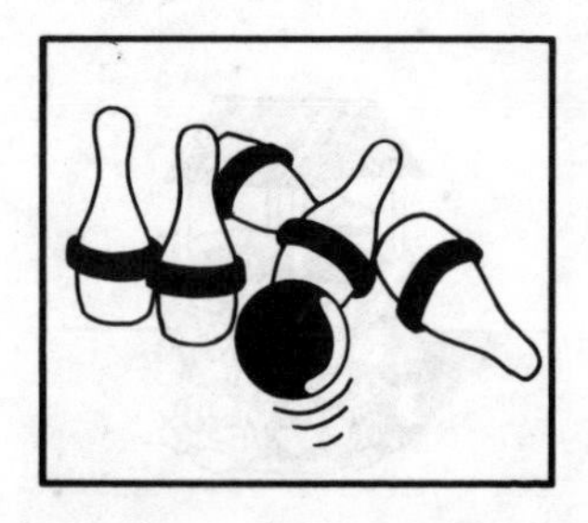

quille

quille

radiateur

radiateur

rabot

rabot

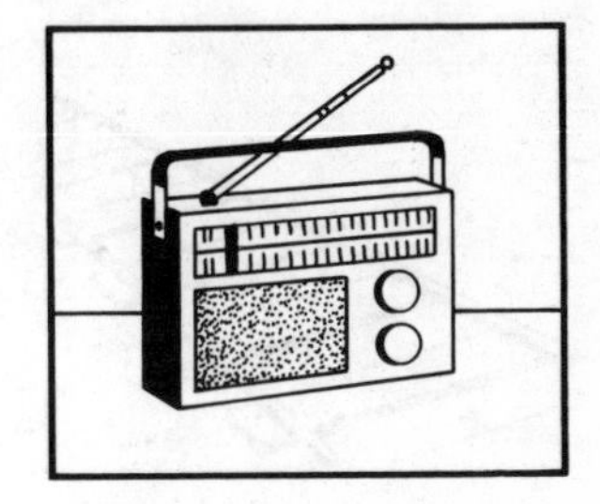

radio

radio

radeau

radeau

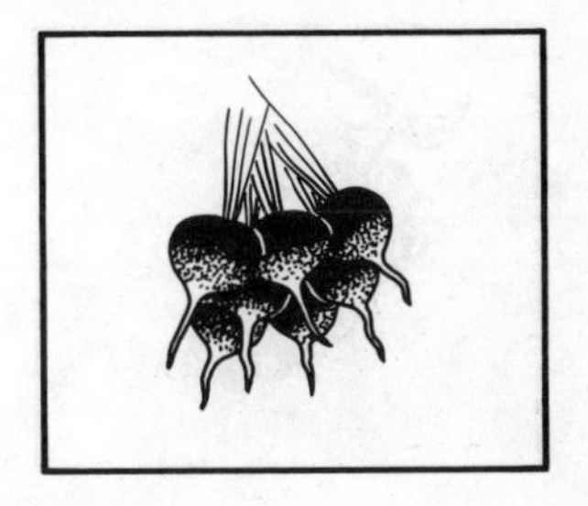

radis

radis

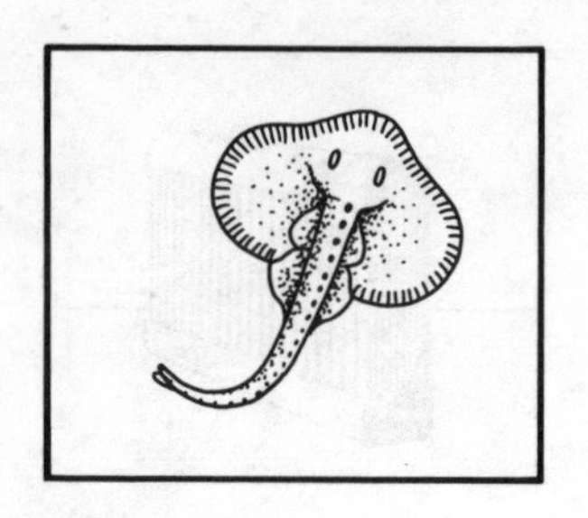

raie

raie

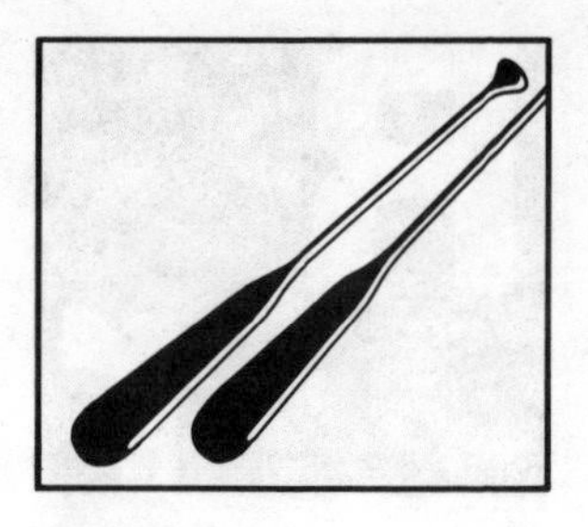

rame

rame

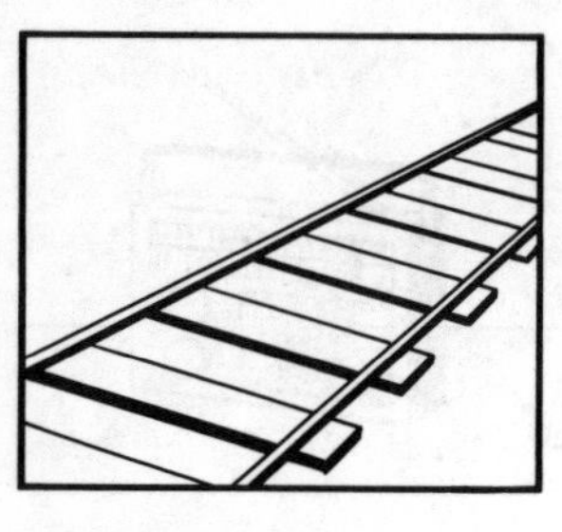

rail

rail

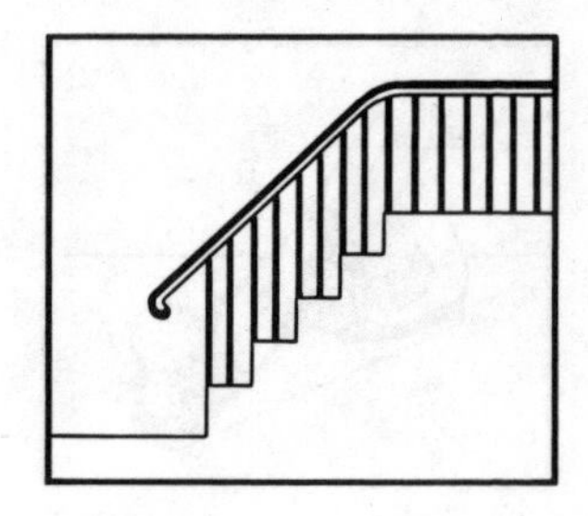

rampe

rampe

raisin

raisin

râpe

râpe

raquette
raquette

raton laveur
raton laveur

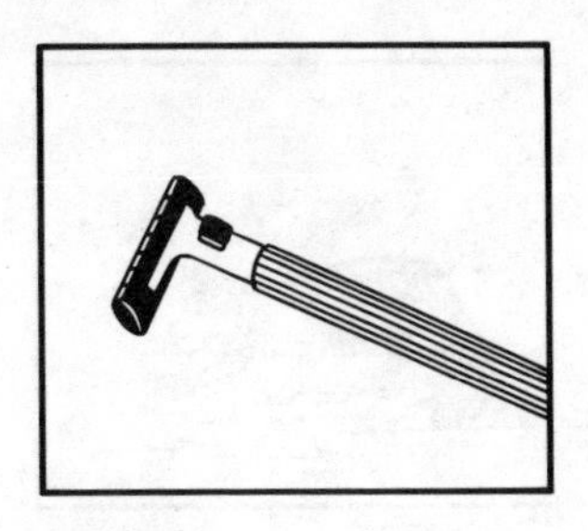

rasoir
rasoir

ré
ré

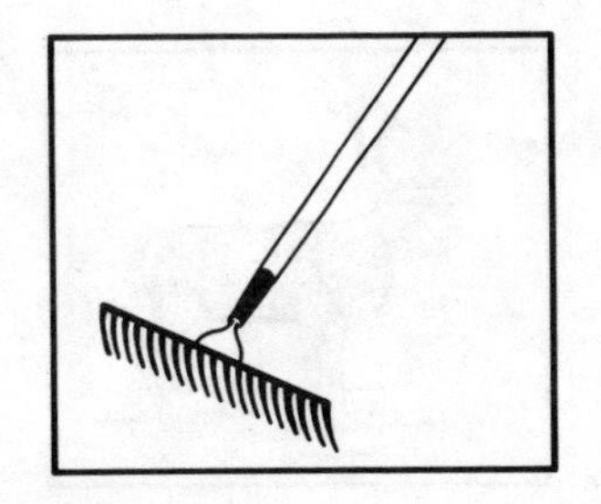

râteau
râteau

récif
récif

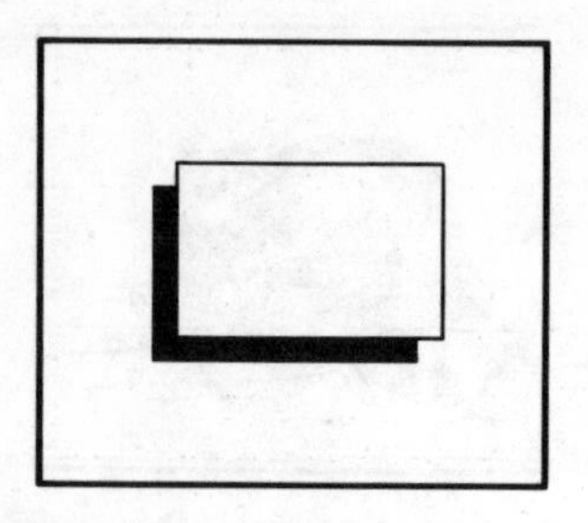

rectangle

rectangle

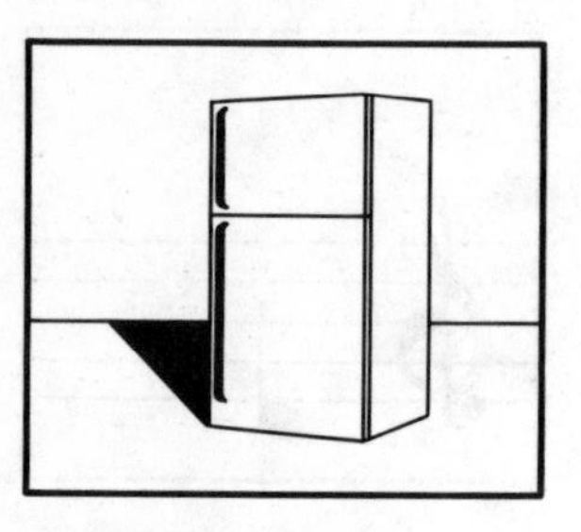

réfrigérateur

réfrigérateur

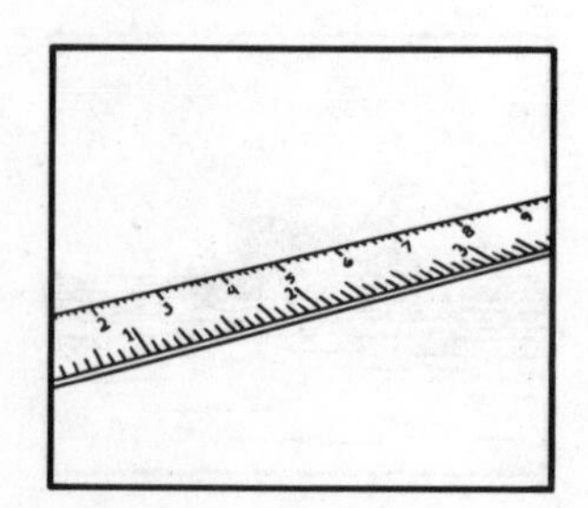

règle

règle

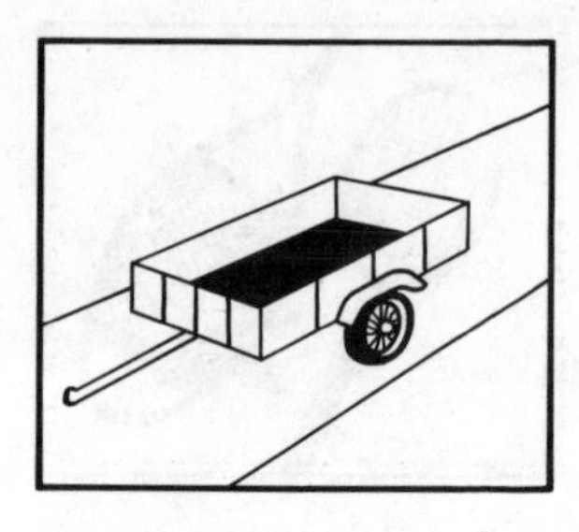

remorque

remorque

renard

renard

renne

renne

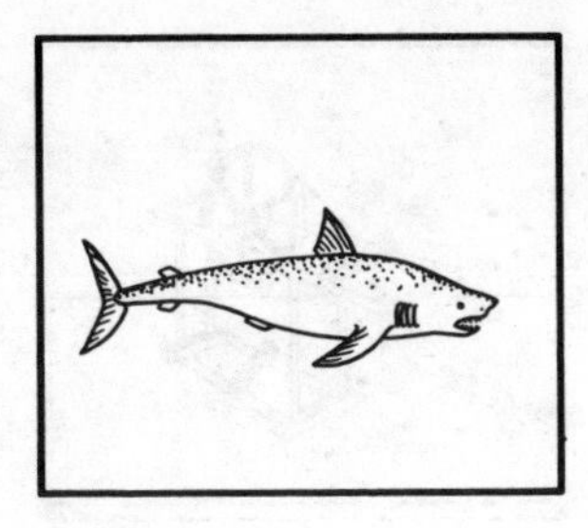

requin

requin

réveil

réveil

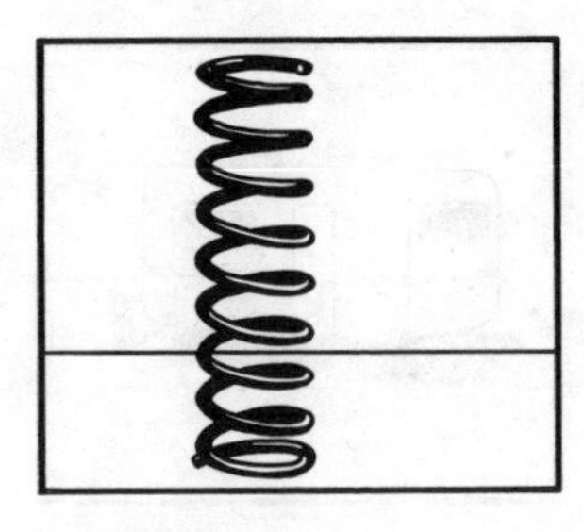

ressort

ressort

rhinocéros

rhinocéros

rétroviseur

rétroviseur

robinet

robinet

robot

robot

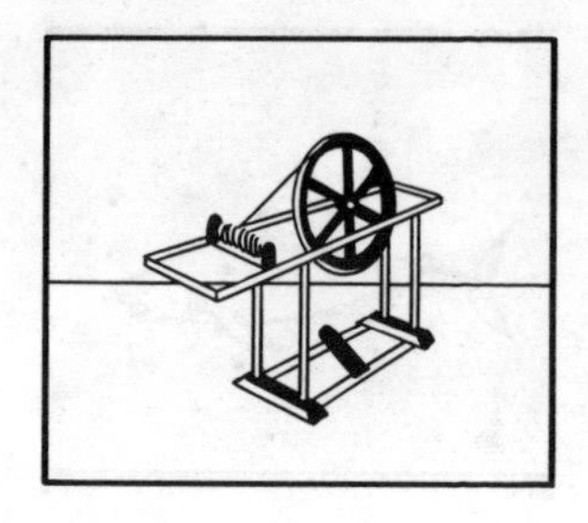

rouet

rouet

rose

rose

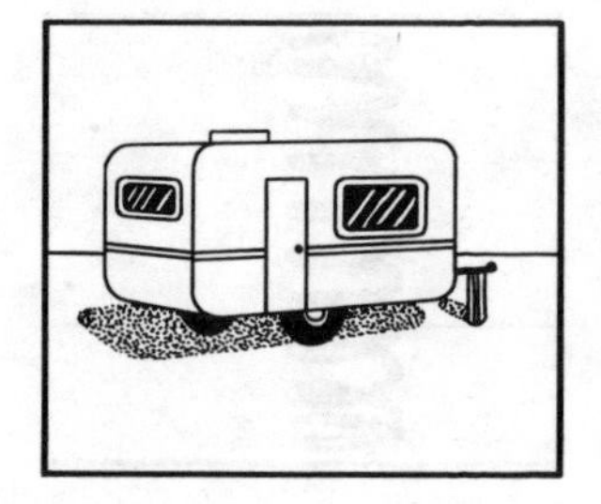

roulotte

roulotte

roue

roue

ruche

ruche

sandwich
sandwich

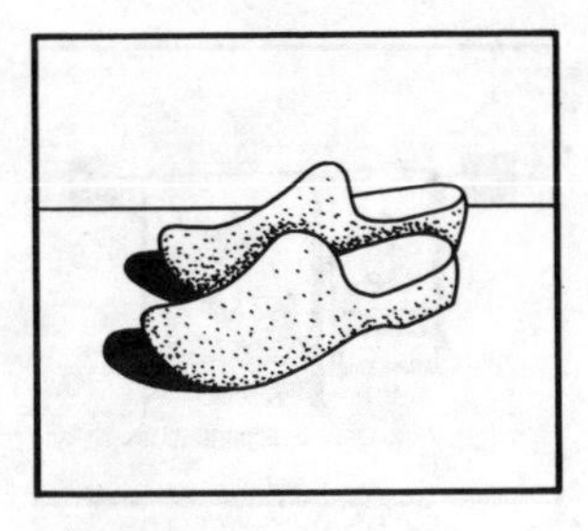

sabot
sabot

sapin
sapin

saint-bernard
saint-bernard

saumon
saumon

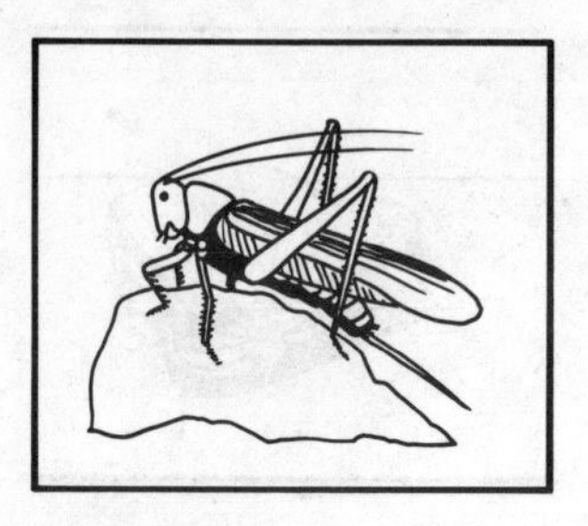

sauterelle

sauterelle

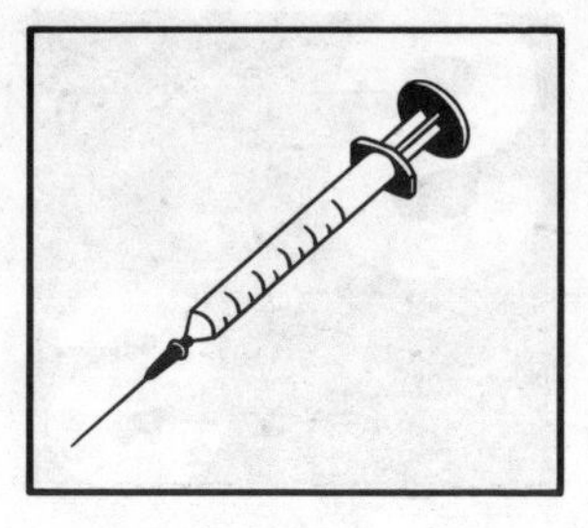

seringue

seringue

saxophone

saxophone

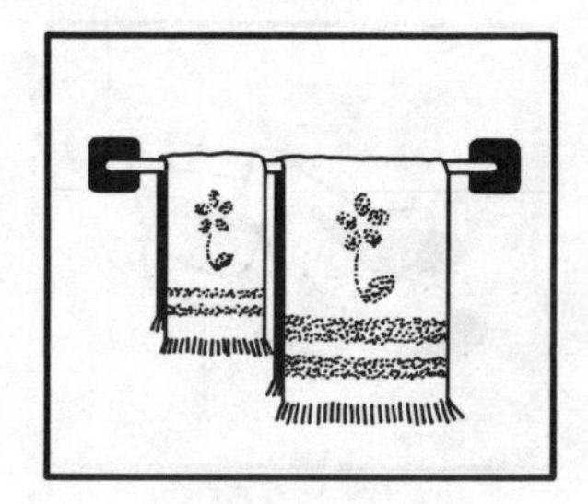

serviette

serviette

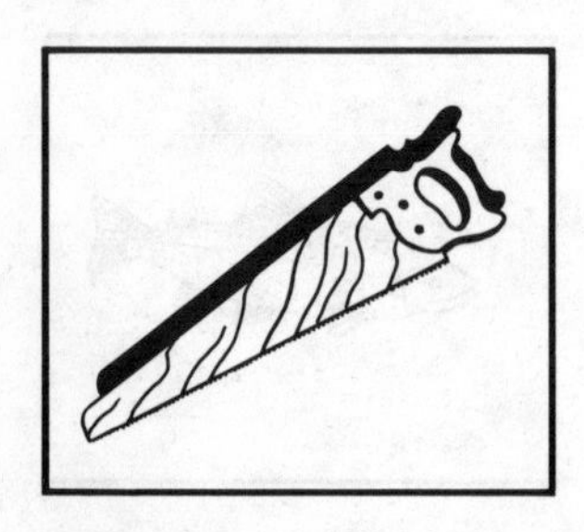

scie

scie

sextant

sextant

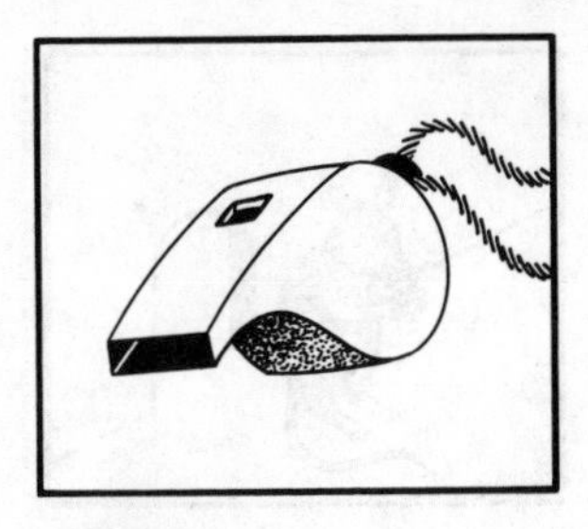

sifflet
sifflet

sofa
sofa

silo
silo

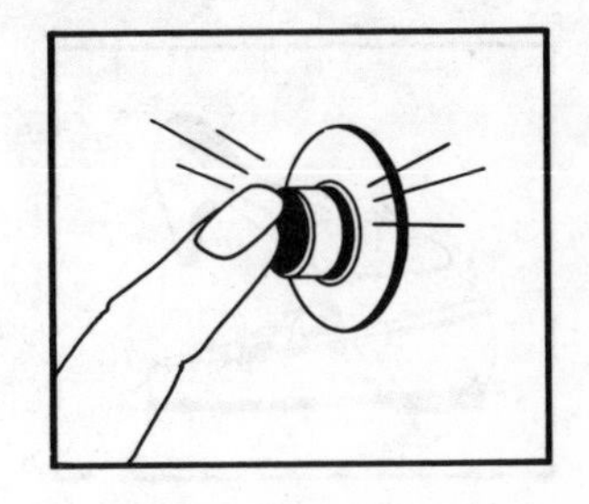

sonnette
sonnette

ski
ski

soucoupe
soucoupe

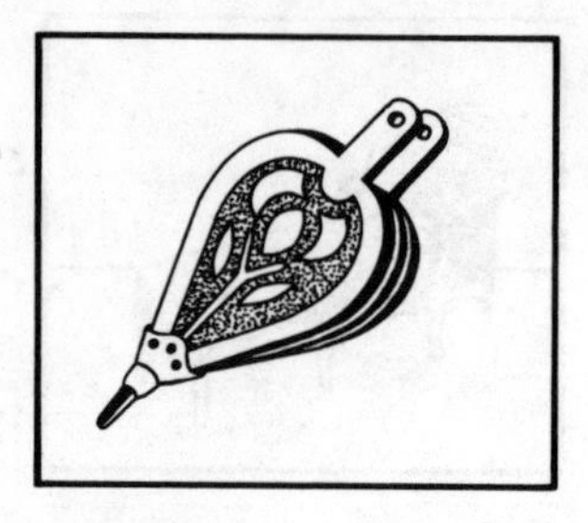

soufflet

soufflet

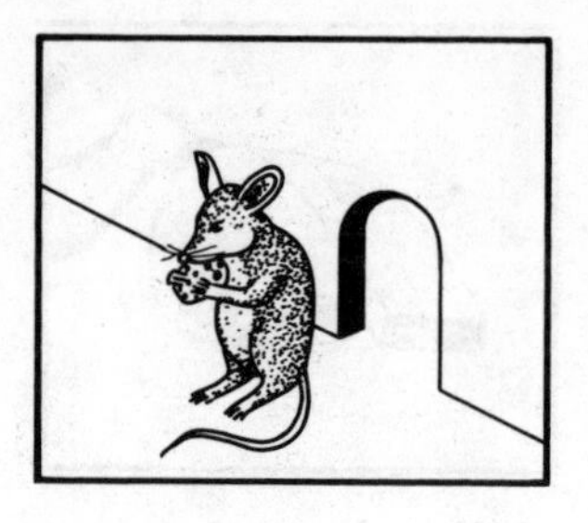

souris

souris

soulier

soulier

statue

statue

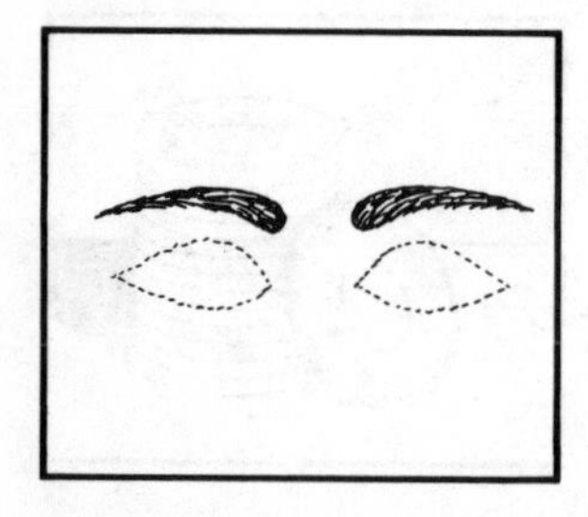

sourcil

sourcil

stylo

stylo

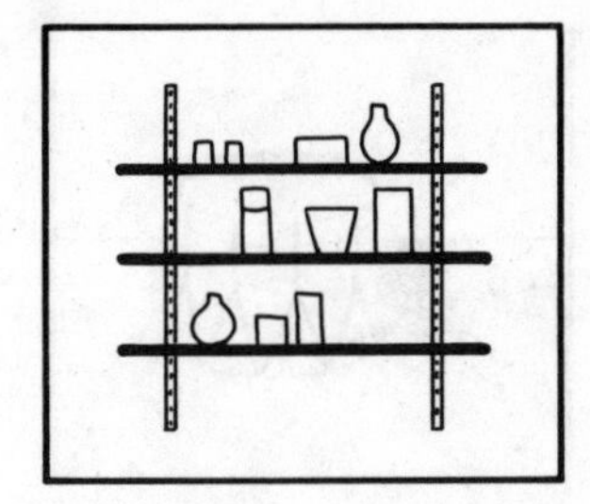

tablette

tablette

table

table

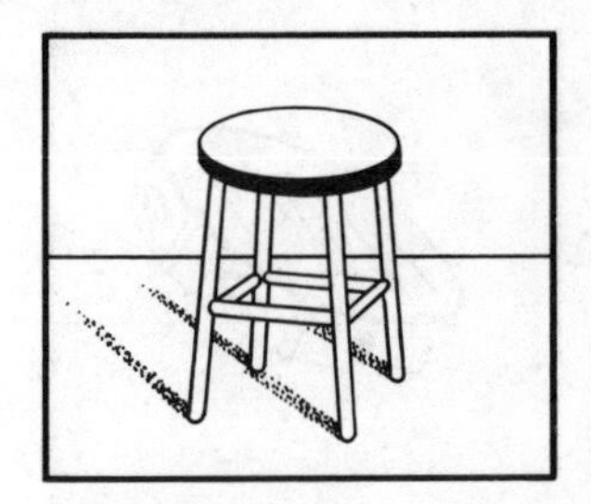

tabouret

tabouret

tableau

tableau

taille-crayon

taille-crayon

tambour
tambour

tambour de basque
tambour de basque

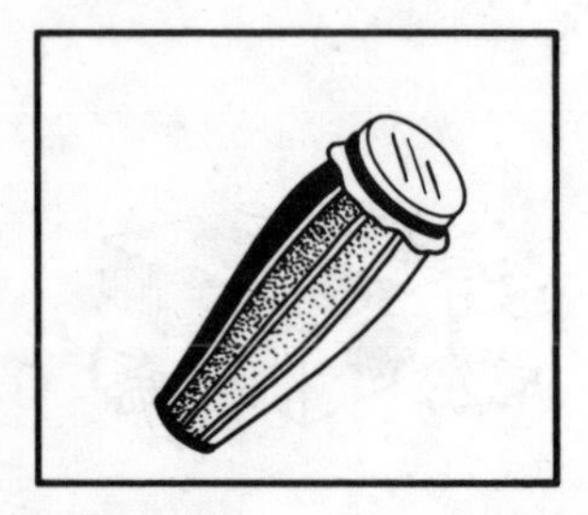

tam-tam
tam-tam

tarte
tarte

tartine
tartine

tasse
tasse

taupe
taupe

téléphérique
téléphérique

taureau
taureau

téléphone
téléphone

taxi
taxi

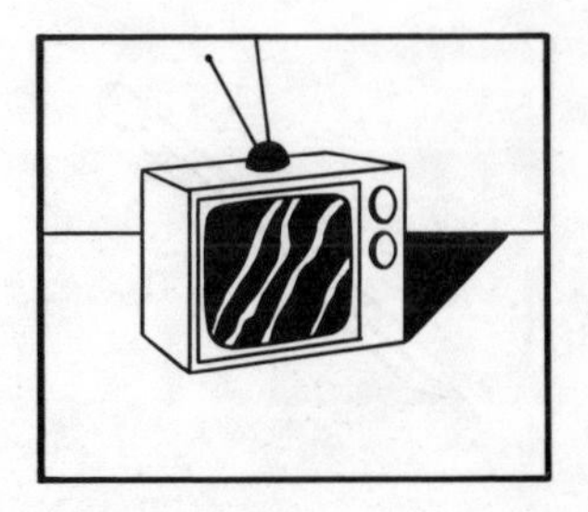

téléviseur
téléviseur

tente
tente

tigre
tigre

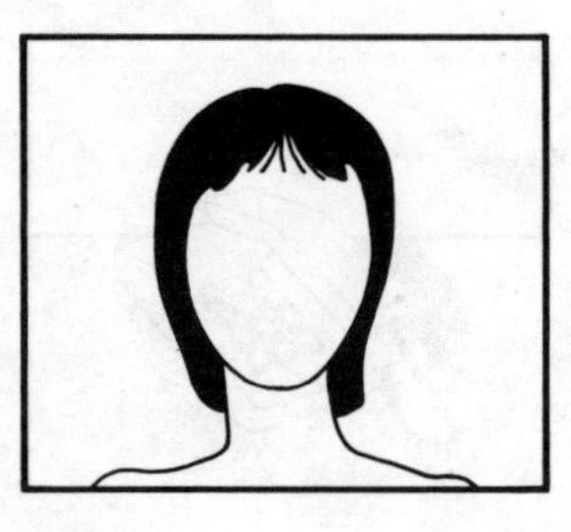

tête
tête

timbre
timbre

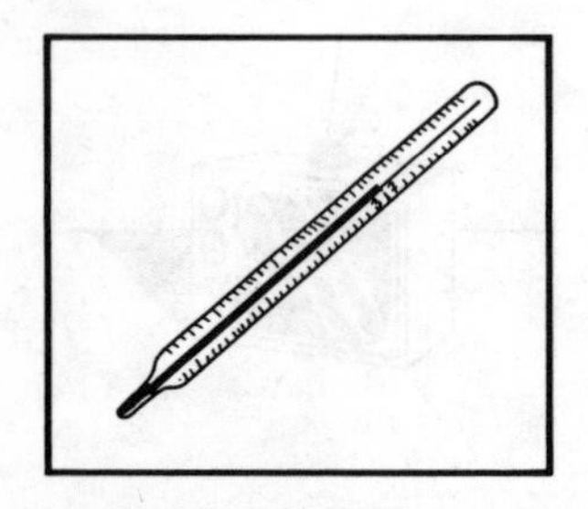

thermomètre
thermomètre

tire-bouchon
tire-bouchon

tirelire

tirelire

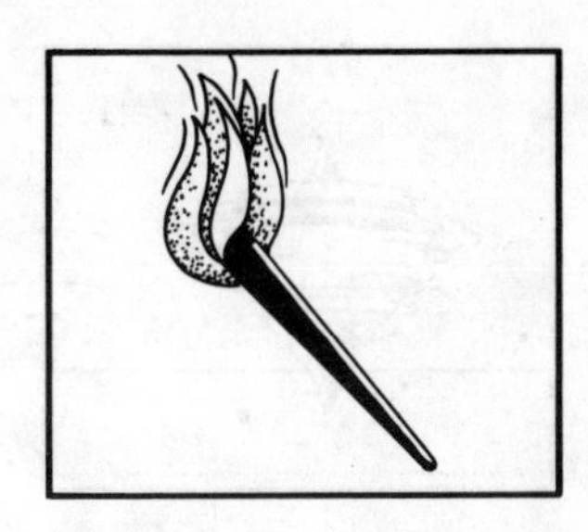

torche

torche

tomate

tomate

tortue

tortue

tonneau

tonneau

totem

totem

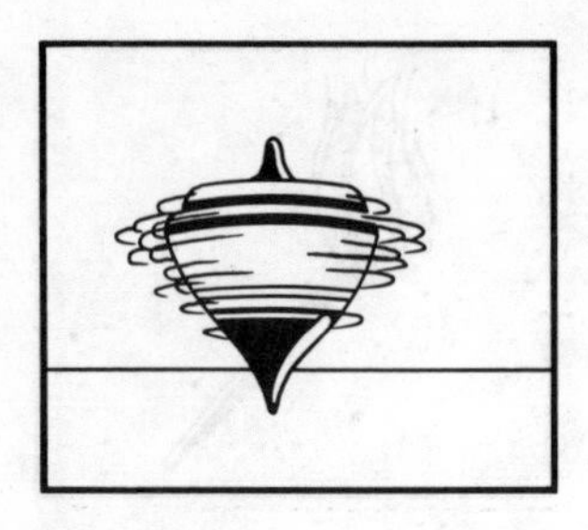

toupie

toupie

traîneau

traîneau

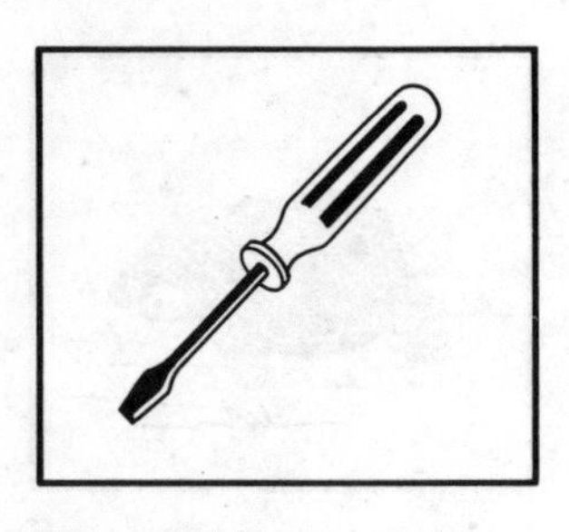

tournevis

tournevis

tramway

tramway

train

train

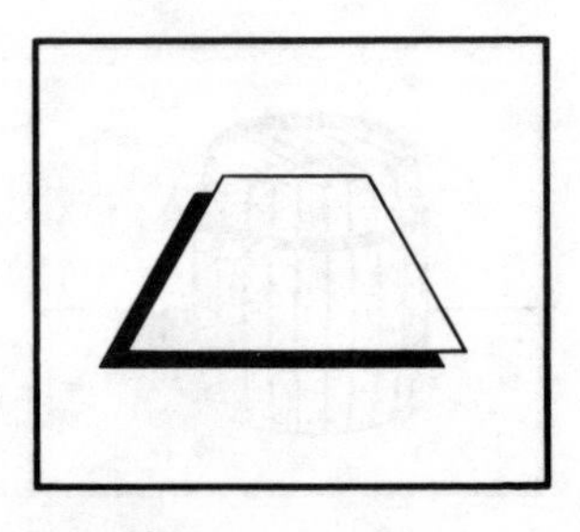

trapèze

trapèze

trèfle
trèfle

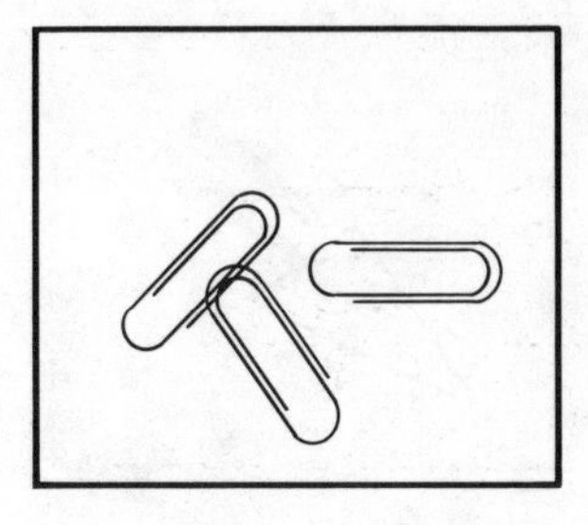

trombone
trombone

triangle
triangle

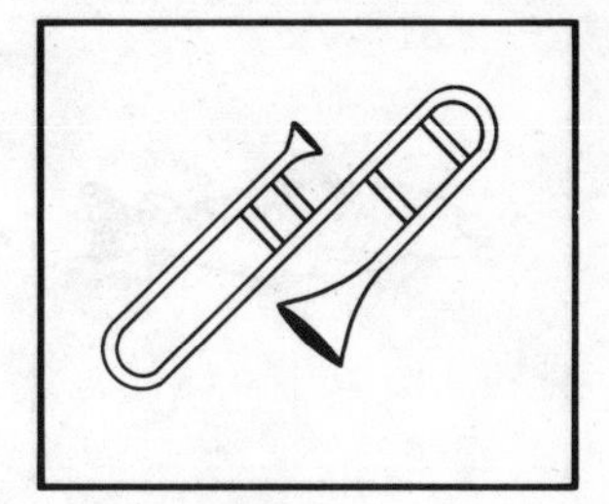

trombone
trombone

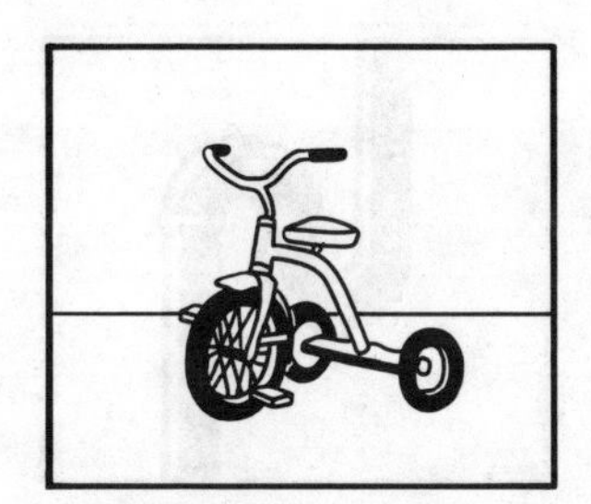

tricycle
tricycle

trompette
trompette

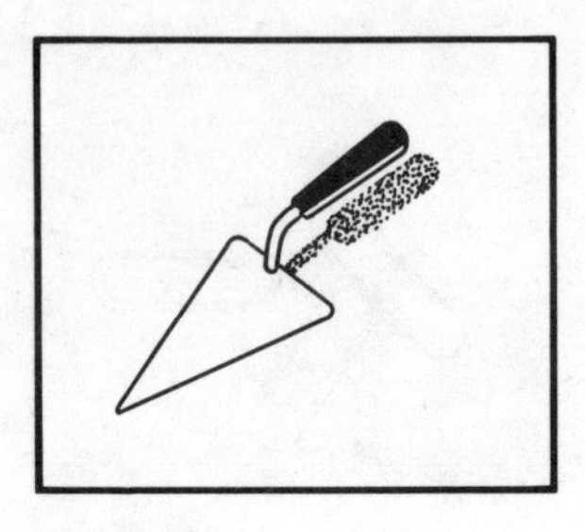

truelle
truelle

tulipe
tulipe

truite
truite

tuque
tuque

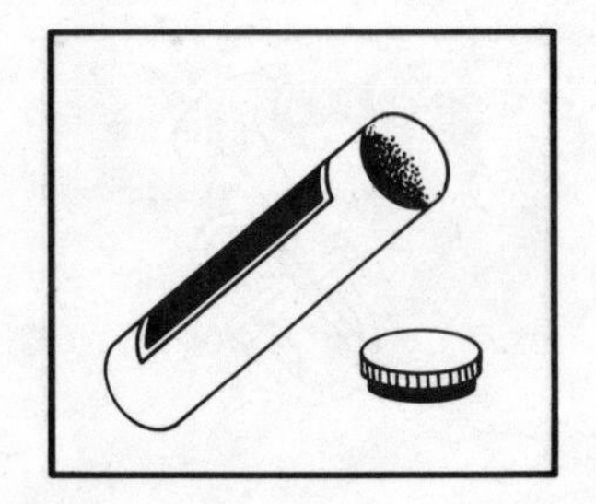

tube
tube

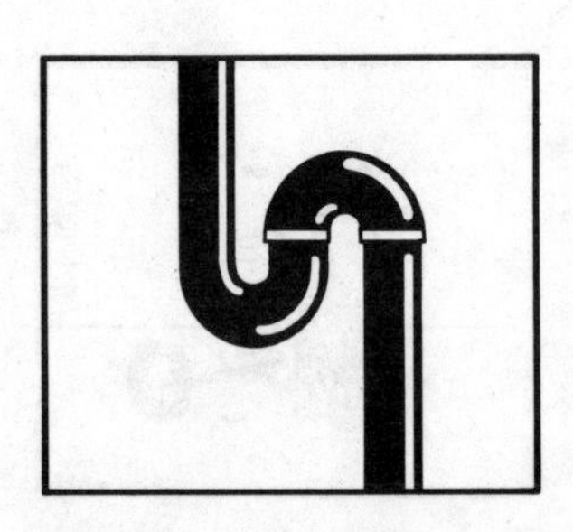

tuyau
tuyau

U u

urne

urne

vache

vache

usine

usine

vague

vague

valise

valise

ver

ver

vautour

vautour

verre

verre

veau

veau

verrou

verrou

viaduc

viaduc

violoncelle

violoncelle

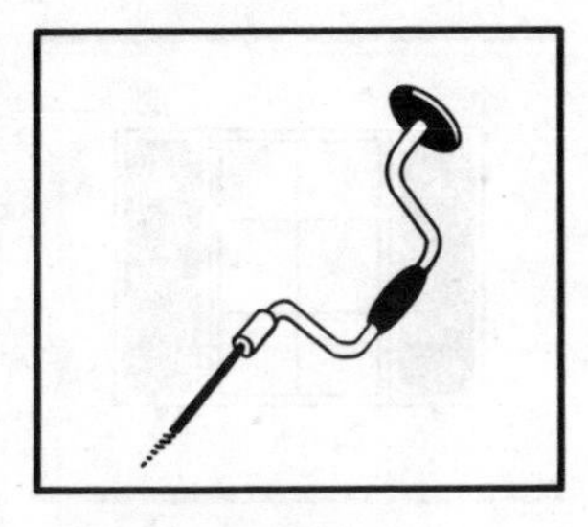

vilebrequin

vilebrequin

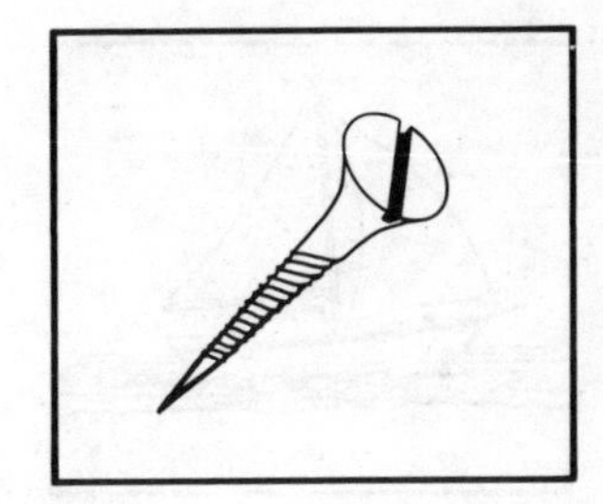

vis

vis

violon

violon

vison

vison

vitrail

vitrail

voilier

voilier

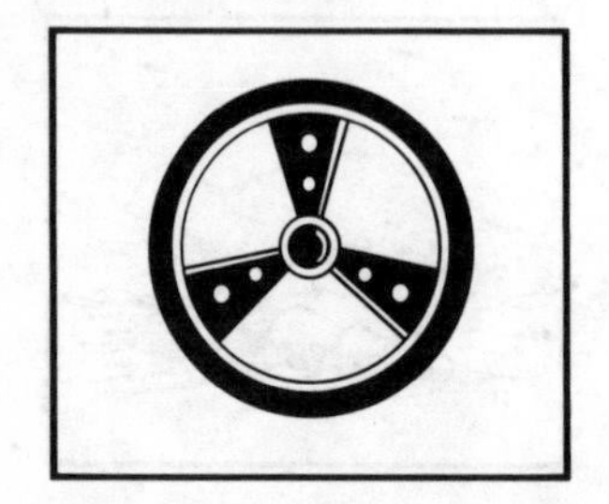

volant

volant

volcan

volcan

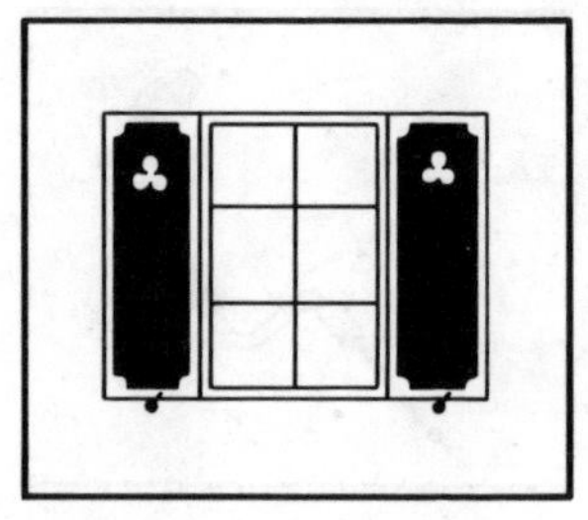

volet

volet

voyelle

voyelle

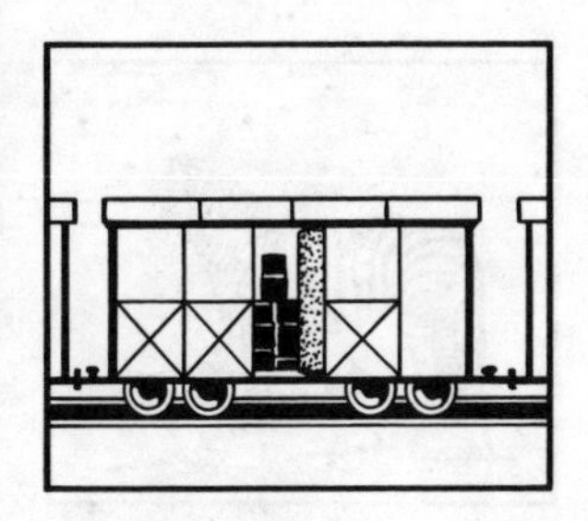

wagon

wagon

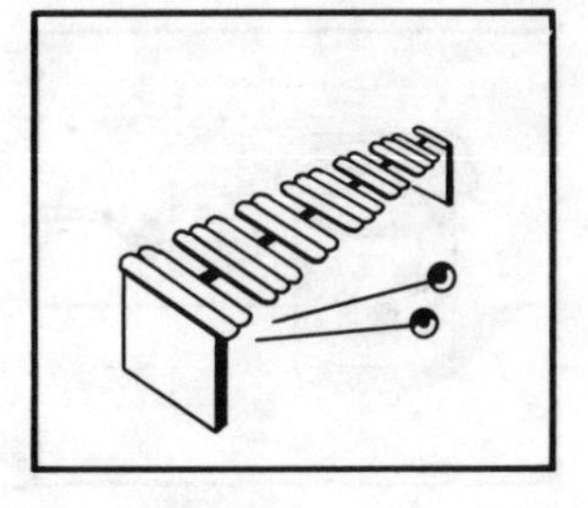

xylophone

xylophone

wigwam

wigwam

yaourt / yogourt
yaourt / yogourt

zèbre
zèbre

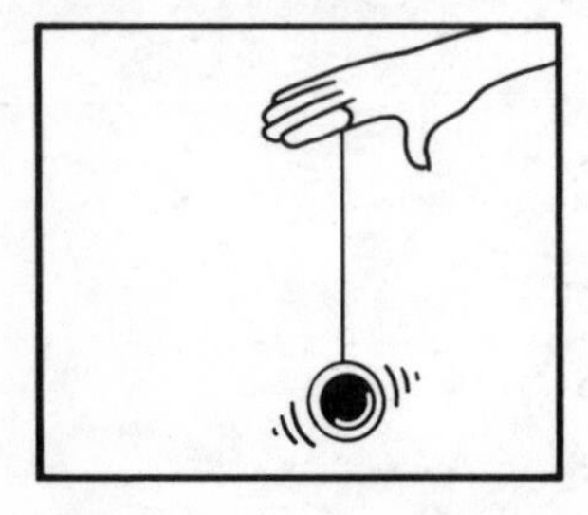

yo-yo
yo-yo

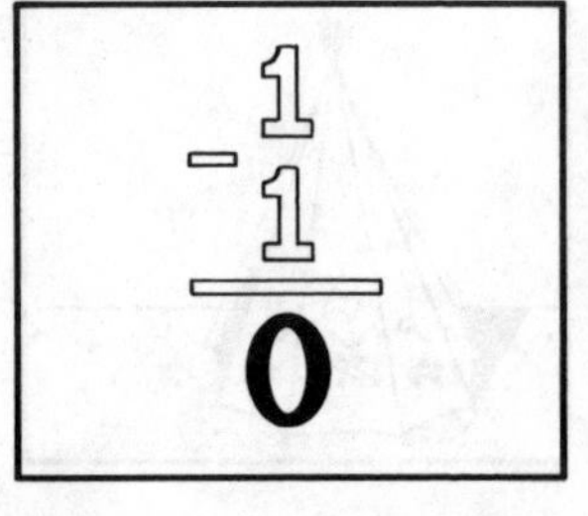

zéro
zéro